D1268870

2249

Jesus 지저스 콜링
Calling

사라 영 지음 | 이지영 옮김

생명의말씀사

JESUS CALLING
by Sarah Young

Jesus 지저스 콜링
Calling

ⓒ 생명의말씀사 2011, 2012

2011년 11월 30일 1판 1쇄 발행
2012년 6월 30일   3쇄 발행
2012년 11월 30일 2판 1쇄 발행

펴낸이 | 김창영
펴낸곳 | 생명의말씀사

등록 | 1962. 1. 10. No.300-1962-1
주소 | 서울 종로구 송월동 32-43(110-101)
전화 | 02)738-6555(본사)·02)3159-7979(영업)
팩스 | 02)739-3824(본사)·080-022-8585(영업)

기획편집 | 전보아   디자인 | 조현진
인쇄 | 영진문원   제본 | 정문바인텍

ISBN 978-89-04-16406-6 (03230)

Jesus 지저스 콜링
Calling

내가 하나님의 임재를 처음 경험한 곳은 정교하고 아름다운 자연 속에서였습니다. 그때 나는 프랑스의 작은 알프스 마을에 있는 기독 공동체인 라브리 지부에 머물며 공부하고 있었습니다. 라브리는 프랜시스 쉐퍼의 사역으로 스위스에서 시작된 국제사역단체입니다.

부모님이 대학 교수이셔서 나는 어릴 때부터 폭넓은 독서를 하도록 교육 받았습니다. 그러다 프랜시스 쉐퍼의 『이성에서의 도피』(Escape from Reason)를 읽고는 놀라움을 느꼈습니다. 그 책은 그동안 대답할 수 없다고 생각했던 의문에 답해 주었습니다.

프랜시스 쉐퍼의 지적인 가르침은 나를 아름다운 자연이 있는 장소로 이끌었습니다. 나를 그곳으로 이끈 계기는 진실을 향한 탐구였습니다. 하지만 하나님의 영광스러운 피조 세계는 내 마음을 하나님께 열도록 만들었습니다.

어느 겨울 밤, 나도 모르게 따스한 숙소를 나와 눈 덮인 산을 홀로 걸었습니다. 울창한 숲에서 달빛에 비치는 겨울 밤의 아름다움에 압도되었습니다. 공기는 바스러질 듯 청량했고 폐를 에는 듯 차가웠는데, 순간 따스한 수증기가 나를 둘러싸는 느낌이 들었습니다. 그 순간 사랑의 임재를 인식했고, 나도 모르게 "사랑의 예수님!"이라는 고백이 터져 나왔습니다.

이런 부드러운 고백은 감정에 치우치지 않는 내 성격과는 전혀 어울리지 않았기 때문에 나는 깜짝 놀랐습니다. 이 짧은 대화를 곰곰이 생각한 후 내 반응이 회심한 마음에서 나왔으며, 나는 그분께 속해 있다는 사실을 깨달았습니다. 이것은 내가 그동안 찾아 왔던 지적인 대답 이상이었습니다. 우주를 지으신 창조주와의 관계였던 겁니다.

다음 해 나는 결혼을 준비하던 사람과 헤어져 힘들었고, 기독교인이라는 사실이 삶의 질에 과연 어떤 영향을 미치는지 의심이 들었습니다. 마침 출장을 가서 혼자 호텔 방에 들어섰을 때 적막감이 파도처럼 나를 휩쓸고 지나갔고, 외로움을 떨쳐내고자 캐서린 마셜의 『자신을 넘어』(*Beyond Ourselves*)를 읽기 시작했습니다. 그 순간 나는 더 이상 혼자가 아니었습니다. 압도적인 평안과 사랑이 나를 덮었고, 나는 아무도 없는 적막한 방에서 무릎을 꿇었습니다. 예수님이 나와 함께 계시며, 그분이 내 마음의 고통을 불쌍히 여기신다는 것을 깨달았습니다. 그분은 의심의 여지없이 알프스 숲에서 만났던 '사랑의 예수님'과 동일한 분이었습니다.

이후 16년 동안 많은 사람들이 모범적인 기독교인의 삶이라고 평가할 인생을 살았습니다. 그런데 그 16년 동안 한 번도 예수님의 임재를 생생하게 경험하지 못했습니다. 신학대

학원에서 상담과 성경 연구로 석사 학위를 받았고, 3대째 일본 선교사인 남편을 만나 일본에서 교회를 개척했습니다. 두 명의 아이를 낳았고, 미국에 돌아와 상담 분야의 박사 학위를 취득했습니다. 이후에는 기독교 상담 센터에서 일하며 상처받은 여성들을 도왔습니다. 하지만 예수님의 임재를 경험할 수 없었습니다.

새로운 경험은 짜임새라고는 도통 없던 불확실성의 시기에 시작됐습니다. 남편과 나는 호주에 있는 일본인들을 위해 교회를 개척하려고 호주 비자가 나오기를 기다렸지만, 영주권 비자를 받기까지 얼마나 오랜 시간이 걸릴지 전혀 예측할 수 없었습니다. 기다림의 시간은 무한히 길어질 것 같았습니다. 해외로 이사할 거란 생각에 만족스럽던 상담사 일을 그만둔 상태였습니다. 매일 아침 커피 한 잔과 함께 성경을 보고, 종교 서적을 읽고, 기도 일기를 쓰며 하나님 한 분과 하루를 시작했습니다.

그때 앤드류 머리의 『주님과 동행하는 삶』(The Secret of the Abiding Presence)을 깊이 묵상하기 시작했습니다. 머리는 기독교인이라면 하나님의 임재를 계속 경험해야 하며, 방해받지 않고 하나님 한 분과 조용히 교제 나누는 일의 중요성을 강조했습니다. 하나님의 임재를 구했습니다. 그러자 하나님은 자신을 드러내 주셨고, 나는 하나님과 함께 보내는 한두 시간이 너무 짧다고 느껴졌습니다.

당시에 직면했던 불확실한 미래는 하나님과의 친밀함을 더욱 깊게 해주었습니다. 그때 피부암이 생겼고, 나는 네 번의 어려운 수술을 받아야 했습니다. 그 어려운 기간에 성경 구절은 계속 나를 위로해 주었습니다. "너희는 기쁨으로 나아가며 평안히 인도함을 받을 것이요"(사 55:12).

그 후 호주에 정착해서 끔찍한 폭력과 영적인 구속에서 빠져나온 사람들을 도우며 매일매일 하나님의 보호하심을 간절히 구할 수밖에 없었을 때 나는 기도하며 찬란한 빛과 깊은 평안을 경험했습니다. 시간 감각조차 잃어버릴 정도의 강력한 하나님의 임재였습니다. 나는 암흑 속으로 걸어 들어갈 때 그분의 영광스러운 빛에 잠기는 경험을 하게 됐습니다. 이것은 나의 기쁨이 될 뿐 아니라, 다른 사람들을 돕기 위한 준비임을 깨달았습니다.

나는 이렇게 하나님과의 친밀함을 누리는 매일을 기록했습니다. 수년 간 기도 일기를 써오긴 했지만, 그건 나만 말하는 일방적인 의사소통이었습니다. 하지만 하나님은 성경으로 나와 소통하고 계셨고, 나는 특정한 날 내게 개인적으로 하시는 말씀을 듣고 싶었습니다.

나는 하나님께 귀 기울이기로 결심했고, 그분이 말씀하신다고 믿는 내용을 기록했습니다. 하나님은 매일 적절한 말씀을 주셨습니다. 처음에는 어색했지만 기도 일기는 점차 독백에서 대화로 바뀌었습니다.

내 환경이 어려워질수록 나는 하나님께 받는 격려와 명령이 더욱 필요했습니다. 어떤 날은 그저 하나님과 함께 한동안 앉아서 아무것도 쓰지 않았습니다. 하나님께 초점을 맞춰 가는 시간 동안 그분과 함께하는 충만한 기쁨을 경험하기도 하고, 동반자 되신 그분이 주는 평안을 즐거워하기도 했습니다. 그리고 다른 사람들도 이 평안이라는 치유의 연고가 필요하다는 것을 깨달았습니다. 하나님은 매일 조용한 시간에 당신과 함께하기를 열망하십니다. 우리가 염려를 내려놓고 그분의 임재를 찾으라고 반갑게 초대하십니다.

이 글은 예수님의 관점에서 썼기 때문에 '나'는 언제나 예수님을 의미합니다. '너'는 예수님이 바로 당신에게 말하고 계신다는 것을 의미합니다. 성경은 오류가 없는 유일한 하나님의 말씀으로, 나의 묵상은 이 변하지 않는 기준에 집중하고 있습니다. 매일 조용한 곳에서 천천히 하나님과 시간을 보내고 일기를 쓰길 권합니다. 예수님은 임마누엘, 우리와 함께하시는 하나님이심을 잊지 마세요. 이 책을 접한 모든 사람들의 시야가 "잠시 받는 환난의 경한 것"(고후 4:17)에서 하나님의 영원한 관점으로 들어 올려지기를 소망합니다. 예수님의 임재와 평안이 당신에게 갈수록 더해지기를 축복합니다.

사라 영

JESUS CALLING

여호와의 말씀이니라
너희를 향한 나의 생각을 내가 아나니
평안이요 재앙이 아니니라
너희에게 미래와 희망을 주는 것이니라(렘 29:11).

■ ■ ■ ■ ■ ■

변화를 항상 갈망하렴. 나와 친밀히 동행하며 살면 끊임없는 변화를 경험하게 된단다. 이미 새로워진 인생을 옛날 방식대로 사느라고 애쓰지 마라. 배우겠다는 마음가짐으로 내게 나아오면 나와 함께하는 인생 여정은 마음을 새롭게 함으로 변화를 받는 것임을 알게 될 거다.

네 생각을 오직 내게 집중하면 내가 너에게 주목하고 있음을 깨닫게 될 거다. 나는 너를 완전하게 이해하고, 너를 영원한 사랑으로 안고 있다. 너에게 재앙이 아닌 평안과 미래와 희망을 주러 왔음을 기억해 내렴. 나와 친밀한 관계를 맺는 이 모험에 전심으로 뛰어들어라.

주께서 대답하여 이르시되
마르다야 마르다야 네가 많은 일로 염려하고 근심하나
몇 가지만 하든지 혹은 한 가지만이라도 족하니라
마리아는 이 좋은 편을 택하였으니
빼앗기지 아니하리라 하시니라(눅 10:41-42).

■ ■ ■ ■ ■ ■

　나와 함께 시간을 보내려고 할 때면 오늘의 할 일과
해결해야 할 문제들이 네 마음을 어지럽힌다는 것을
안다. 그 마음까지 다 내게 내려놓고 온전한 휴식과
재충전을 경험했으면 좋겠구나.

　마음과 몸을 완전히 내게로 향해서 내가 언제나 너
와 함께함을 깨닫기 바란다. 그러면 오늘 하루 너에게
닥치는 모든 일을 지혜롭게 풀어갈 능력을 덧입을 수
있다. 시간을 따로 구별해 나를 만난다면 나는 기쁘고
너는 강해진다. 서둘러 달라는 사람들의 요구에도 나
와 함께하는 시간을 택하렴. 너는 이 좋은 편을 택하
였으니 빼앗기지 않을 것임을 장담하마.

이것을 너희에게 이르는 것은
너희로 내 안에서 평안을 누리게 하려 함이라
세상에서는 너희가 환난을 당하나
담대하라 내가 세상을 이기었노라(요 16:33).

■ ■ ■ ■ ■

내가 건네는 평안은 언제, 어떤 상황에서도 누릴 수 있단다. 이 땅에 사는 동안 수많은 의무들로 힘겨울 때 네 안에 있는 나를 깨닫고 온전한 쉼을 누리려무나. 나는 항상 앞서 가며 너의 갈 길을 열고 너와 함께 걷고 있지. 나처럼 헌신된 친구는 결코 없단다.

내가 언제나 너와 함께하니 인생의 발걸음을 늘 가볍게 내디디렴. 너의 발걸음이 어찌나 경쾌한지 다른 사람들이 금세 알아챈단다. 해결되지 않는 문제를 끌어안고 낙심하지 마라. 네 짐은 모두 내가 진단다. 세상에서는 네가 환난을 당하겠지만 항상 담대해라. 내가 세상을 이겼다. 내 안에서 흔들림 없는 평안을 누리렴.

그는 목자같이 양 떼를 먹이시며
어린 양을 그 팔로 모아 품에 안으시며
젖 먹이는 암컷들을 온순히 인도하시리로다(사 40:11).

■■■■■■

　새로운 습관을 들였으면 좋겠구나. 어떤 일이 닥치
더라도 늘 이렇게 고백하는 거란다. "예수님, 당신을
신뢰합니다!" 그리고 모든 능력과 영광 가운데 거하는
내가 누구인지 묵상하렴. 내가 너를 얼마나 사랑하는
지 그 깊이와 폭을 묵상하렴.

　이 간단한 습관이 몸에 배면 어떤 상황에서도 내 주
권을 인정하고 나를 바라보게 된다. 살면서 겪는 모든
일들을 전 우주를 주관하는 내 관점으로 바라보고 이
해하면 두려움이 너를 옭아매지 못한다. 무슨 일이 생
기든 나를 믿고 따른다면 역경은 너를 성장하게 할 것
이고, 우리의 유대는 더욱 강해질 거다. 또 너의 감사
는 너에게 축복이 될 것이고, 더욱 내 가까이로 이끌
거란다.

이는 우리가 믿음으로 행하고
보는 것으로 행하지 아니함이로라(고후 5:7).

■ ■ ∷ ∷ ■

사람들은 승리가 곧 성공이라 생각하고, 넘어짐이나 실패는 성공이라고 생각하지 않는다. 자신의 힘으로 성공한 사람들은 아예 나를 잊고 자신의 방식을 고집하지. 그러나 단 한 번이라도 실패를 경험해 자신의 약함과 부족함을 인식하면 내게 의존하는 방법을 배우게 된단다.

네가 모든 것을 결정하고 그 일에 복을 더해 달라 기도하는 건 내게 의존하는 게 아니란다. 진정으로 의지한다면 모든 생각과 마음을 내게 의뢰해야 해. 네 안에 너의 계획이 아닌 나의 갈망을 불어넣어 달라고 나를 초청하렴. 네 능력으로는 도저히 이룰 수 없다는 걸 아는 바로 그 순간이 나를 깊이 신뢰하는 시작점이란다. 믿음으로 한 번에 한 걸음씩 내디뎌라. 그 길은 성공으로만 포장된 길이 아니라 여러 실패를 겪을 거다. 하지만 실패 후에는 신뢰라는 영양분으로 인해 더 큰 폭으로 성장하게 된단다. 깊이 의지하는 게 승리하는 삶이며 진짜 축복임을 경험하렴.

·

우리 가운데서 역사하시는 능력대로 우리가 구하거나
생각하는 모든 것에 더 넘치도록 능히 하실 이에게
교회 안에서와 그리스도 예수 안에서 영광이
대대로 영원 무궁하기를 원하노라 아멘(엡 3:20-21).

■ ■ ■ ■ ■

나는 네가 구하거나 생각하는 모든 것보다 더 넘치
도록 능히 할 수 있다. 모든 일을 성취하는 나의 능력
이 무한함을 기대하고 또 깨달아라. 나의 위대한 생각
을 품을 수 있도록 네 마음을 다스려 달라고 성령에게
구해라.

"하지만 아직까지도 제 기도에 아무런 응답을 주시
지 않으셨습니다." 하고 낙심하지 마라. 시간이 갈수
록 입이 바짝바짝 마르는 듯 싶으냐? 바로 그 시간이
어둠 가운데서 나를 신뢰하며 기다릴 수 있도록 가르
치는 트레이너란다. 점점 더 극한 상황에 처할수록 그
상황 속에서 일하는 내 능력과 영광을 더욱 볼 수 있
단다. 고난에 휘둘리지 말고, 그 상황을 통해 내가 영
광스럽게 간섭할 수 있음을 기억하렴.

15

범사에 감사하라
이것이 그리스도 예수 안에서
너희를 향하신 하나님의 뜻이니라(살전 5:18).

■ ■ ■ ■ ■ ■

나를 향한 감사와 찬양에 지나침은 없다. 나는 내 백
성의 찬양 가운데 거한다. 너는 때로 빛나는 아름다움
과 풍성한 축복에 찬양이 절로 터져나오곤 하지. 좀
더 절제되고 신중한 의지의 표현으로 찬양하는 경우
도 있고 말이다. 나는 두 찬양 모두에 동일하게 거한
단다.

감사는 너를 내 가까이 이끄는 왕도와 같다. 감사하
는 마음에는 내가 거할 곳이 참으로 많단다. 모든 기
쁨의 순간마다 감사할 때 너는 내가 하나님이며, 나에
게서 모든 복이 왔음을 확증하게 된단다. 역경에 처했
을 때조차도 감사하면, 내 통치에 대한 너의 신뢰는
눈에 보이지 않는 세계를 대표하는 멋진 작품이 된다.
삶의 순간순간을 찬양과 감사로 채우렴. 즐거운 이 원
칙이 내 임재의 친밀함 속에서 살도록 돕는단다.

하나님은 우리의 피난처시요 힘이시니
환난 중에 만날 큰 도움이시라(시 46:1).

■■■■■

나는 언제나 너와 함께 있단다. 은은하게 반짝이는
나의 빛이 네 의식의 문을 두드리며 들어갈 입구를 찾
고 있지. 하늘과 땅의 모든 능력을 가진 내가 무한한
온화함으로 너에게 다가간다. 네가 약할수록 더 부드
럽게 다가가지. 너의 약함이 내가 임하는 통로가 되게
하렴. 네가 부족한 존재라는 느낌이 들 때 내가 항상
너의 도움이라는 사실을 기억해라.

내 안에서 소망을 품으면 우울함은 사라지고 자기
연민에서 헤어날 수 있단다. 소망을 붙잡아라. 소망은
너를 천국에 연결하는 황금 동아줄이란다.

중압감은 내게 속한 것이 아니다. 네가 나를 경외할
때 내 빛줄기가 어둠을 뚫고 너에게 닿을 거란다.

> 대저 하나님의 모든 말씀은
> 능하지 못하심이 없느니라(눅 1:37).

■ ■ ■ ■ ■

나는 네 편이다. 네가 내 뜻을 좇아 행한다면 하늘과 땅의 어떤 것도 너를 막을 수 없다. 목표를 향해 가는 동안 이런저런 장애물을 만나겠지만 결코 낙심하지도 말고, 포기하지도 마라. 내가 너를 도울 거다.

나의 손을 잡고 간다 해서 그 길이 쉬울 거라고 생각하지는 마라. 그러나 언제나 너와 함께하면서 돕는 내가 전능자임은 반드시 기억하렴.

대부분의 스트레스는 일의 때가 차기 전에 이루고자 하는 욕구에서 비롯된단다. 내가 통치권을 행사하는 주요 방법 가운데 하나는 일의 때를 정하는 일이다. 네가 내 방식으로 일하고자 한다면 순간순간 길을 보여 달라 기도로 구하렴. 목표를 향해 성급하게 돌진하지 말고 내가 정하는 때를 따르렴. 속도를 늦추고 내 임재 속에서 여정을 즐기렴.

오직 너희를 위하여 보물을 하늘에 쌓아 두라
거기는 좀이나 동록이 해하지 못하며
도둑이 구멍을 뚫지도 못하고 도둑질도 못하느니라
네 보물 있는 그곳에는 네 마음도 있느니라(마 6:20-21).

■ ■ ■ ■ ■

네가 나에 대한 신뢰를 단언할 때마다 내 금고에 저
축하는 거란다. 그렇게 고난의 날을 대비하며 자산을
키우지. 나는 네가 투자한 신뢰를 마음속에 안전하게
품어 꾸준하게 복리 이자로 늘린단다. 신뢰하면 할수
록 더 큰 신뢰의 능력을 너에게 부여한다.

별일이 없어 보이는 평안한 날에 신뢰를 훈련하렴.
폭풍우가 치는 날 비바람을 견디기에 충분한 신뢰의
잔고를 미리미리 쌓고, 너를 위하여 보물을 하늘에 쌓
아 두어라. 이를 훈련하면 내 평안에 거하게 된단다.

그의 신기한 능력으로
생명과 경건에 속한 모든 것을 우리에게 주셨으니
이는 자기의 영광과 덕으로써 우리를 부르신 이를
앎으로 말미암음이라(벧후 1:3).

■ ■ ■ ■ ■ ■

나를 신뢰하고 네 삶의 통제권을 온전히 내게 넘겨라. 이 세상은 내 것이다. 내가 지었고, 내가 통치한다. 이 긴 사랑 이야기에서 네가 맡은 역할은 반응하고 받아들이는 거란다. 너는 내가 네 안에 심어 둔 이 선물을 잘 보호하고 양육해라.

내게 간구할 때는 염려를 내려놓아라. 네 마음을 솔직하게 다 쏟아내라. 그리고 네가 결과를 분별하기 훨씬 전부터 내가 이미 너에게 응답했음을 감사해라. 또다시 무언가 바라고 싶은 게 생겨나면 성취되고 있는 응답에 계속해서 감사해라. 자꾸만 염려하다 보면 삶은 결국 긴장의 연속이 되고 만다. 하지만 너의 기도에 내가 주는 응답에 대해 감사하면 마음가짐이 매우 긍정적으로 변하지. 감사 기도는 네 초점을 나의 임재와 약속에 집중하게 해준단다.

내 안에 거하라 나도 너희 안에 거하리라
가지가 포도나무에 붙어 있지 아니하면
스스로 열매를 맺을 수 없음같이
너희도 내 안에 있지 아니하면 그러하리라(요 15:4).

■■■■■■

네 앞에 펼쳐질 하루에 대비해 내가 너를 준비시킬
수 있도록 해주렴. 오늘 하루 네가 겪을 일을 나는 훤
히 다 안다. 하루 동안 겪을 일들이 파노라마처럼 네
눈에도 보이길 바란다는 걸 안다. 그렇게 되면 하루를
좀 더 준비된 마음으로 맞이할 수 있을 테니까. 그러
나 오늘 네 앞에 어떤 일이 닥칠지 준비할 수 있는 가
장 좋은 방법을 알려 주고 싶구나. 바로 나의 안에 거
하며, 나와 깊이 그리고 친밀하게 교제하는 거란다.

오늘 하루의 일을 훤히 보여 주지는 않지만, 그 여정
에 너를 철저하게 대비시킨단다. 네가 가는 모든 길에
순간순간 길동무가 되어 주마. 생각을 재조정해야 할
때가 오면 내 이름을 읊조리며 계속해서 나와 소통하
렴. 너와 함께하는 내가 너에게 주어진 최선의 안내
지도란다.

이날은 여호와께서 정하신 것이라
이날에 우리가 즐거워하고 기뻐하리로다(시 118:24).

■ ■ ■ ■ ■

하루하루는 네 삶의 안내자인 내가 세심하게 계획한 모험이란다. 네 앞에 놓인 하루를 계획을 세워 채워 가되, 내 뜻을 좇아 내가 너를 위해 예비한 모든 것을 놓치지 않았으면 좋겠구나. 오늘에 대해 내게 감사해라. 하루하루가 얼마나 소중하고, 결코 다시 오지 않을 선물임을 알아야 한다. 네 안의 나를 자각할 때나 그렇지 않을 때나, 매 순간 내가 너와 함께함을 믿어라. 감사하며 신뢰하는 태도는 삶의 모든 부분을 나의 관점으로 보도록 도와준단다.

나와 가까이 거하는 삶은 무료하지 않으며 빤한 결과에 매이지도 않는다. 매일매일 놀라운 삶이 너를 기다린다. 내가 이끄는 곳이면 어디든 기꺼이 따라오렴. 네 앞에 놓인 길이 매우 가파르고 힘든 길처럼 보여도 그 길이 가장 안전한 길이란다.

내가 보는 것은 사람과 같지 아니하니
사람은 외모를 보거니와
나 여호와는 중심을 보느니라(삼상 16:7).

■■■■■■

외모를 멋지게 꾸미는 일은 쉽단다. 좋은 모습을 보이려는 노력은 모든 사람들이 알아채니까. 그러나 나는 존재의 깊은 곳까지 너를 꿰뚫어 본단다. 나와의 관계에서 가식은 통하지 않는다. 이처럼 내가 너를 완전히 이해하는 게 얼마나 다행스러운 일이냐. 네 힘으로 어찌 해보려 몸부림치다 지치지 말고 나와 이야기를 나누렴. 내가 너의 약함을 강점으로 바꾸어 주마. 나와 맺는 관계는 은혜 속에서 무르익는단다. 네가 어떤 일을 하거나 하지 않았다고 해서 나와의 관계가 끊어지지는 않는다. 마음이 공허하다고 해서 부끄러워하지 마라. 오히려 그 공허함을 내가 주는 평안으로 채울 수 있는 최상의 조건으로 이해하렴.

오라 하시니 베드로가 배에서 내려
물 위로 걸어서 예수께로 가되 바람을 보고
무서워 빠져 가는지라 소리 질러 이르되
주여 나를 구원하소서 하니(마 14:29-30).

■ ■ ■ ■ ■

지금 네 앞에 도저히 감당 못할 고난이 닥쳤느냐. 잘
되었구나. 그것은 곧 내가 너에게 평안을 줄 수 있는
기회이니 말이다. 나를 바라보렴. 그러면 너는 안전하
단다. 온갖 문제들만 바라보면 짊어진 짐의 무게 때문
에 결국 가라앉고 말지. 그래도 그 순간 "예수님, 도와
주세요!"라고 큰소리로 외치면 너를 건져내 주마.

나와 친밀히 살수록 더 안전하단다. 네 주변 환경은
언제나 변하고, 저 멀리 사나운 물결이 너를 기다리는
구나. 그 순간에도 오직 나만을 바라보렴. 그러면 파
도가 너에게 당도할 즈음 내가 계획한 크기로 작아져
있을 거란다. 미래는 유령과 같이 너를 겁주려고 하
지. 하지만 항상 나를 바라며 웃음으로 받아 넘겨라!
내가 늘 네 곁에 있지 않느냐.

내가 네게 명령한 것이 아니냐
강하고 담대하라 두려워하지 말며 놀라지 말라
네가 어디로 가든지 네 하나님 여호와가
너와 함께하느니라 하시니라(수 1:9).

■ ■ ■ ■ ■ ■

'오늘은 또 어떤 일이 벌어질까? 아! 또 어떻게 헤쳐 나가지?' 시험을 통과하는 방법은 네가 아닌 내게 있다. 앞으로 일어날 일에 매여 있다 보면, 자연히 내가 너와 함께한다는 사실을 잊고 만단다. 지금 이 순간, 그리고 언제나 내가 너와 함께하는데도 말이다.

문제를 해결하는 리허설을 머릿속으로 자꾸만 반복하지 마라. 그렇게 하면 결국 그 문제가 실제로 일어났을 때 경험하는 고통을 증폭시키는 셈이 된단다. 그렇게 하지 말고 내가 주는 평안을 누려라. 두려움은 벗고, 마음 가득 확고한 신뢰로 채워 오늘을 살아내도록 내가 너를 준비시킬 거란다. 내게로 와서 내가 주는 평안을 누리렴.

아무것도 염려하지 말고 다만 모든 일에 기도와 간구로,
너희 구할 것을 감사함으로 하나님께 아뢰라
그리하면 모든 지각에 뛰어난 하나님의 평강이
그리스도 예수 안에서 너희 마음과
생각을 지키시리라(빌 4:6-7).

■ ■ ■ ■ ■

감사하는 마음으로 내게 오렴. 내가 지은 오늘을 마냥 즐거워해라. 내일 일을 염려하는 어리석은 행동은 그만 접고, 너를 위해 내가 예비해 둔 걸 바라보렴. 풍성한 복을 기대해라. 그 가운데 어려움이 닥치면 그것도 감사해라. 오직 내게만 집중하면 일상적인 하루하루로 기적을 엮어내 주마.

나는 부요하고 늘 차고 넘치게 공급하니 네 모든 필요를 내게로 들고 와라. 나와 끊임없이 소통해라. 그러면 아무리 혹독한 환경에 처했다 해도 그 환경을 거뜬히 뛰어넘을 수 있단다. 네가 구하는 것을 감사함으로 이야기해라. 그러면 모든 지각에 뛰어난 나의 평강이 너의 마음과 생각을 지킬 것이다.

주 여호와는 나의 힘이시라
나의 발을 사슴과 같게 하사
나를 나의 높은 곳으로 다니게 하시리로다(합 3:19).

■ ■ ■ ■ ■ ■

나는 높은 길로 너를 인도한단다. 단, 늘 오르막길만
있는 것은 아니지. 멀리 눈부신 햇살에 반짝이는 눈
덮인 봉우리가 보인다 하여 지름길로 선뜻 발을 들여
놓아서는 안 된다. 나를 따르며, 내가 너의 갈 길을 인
도하도록 내게 맡겨라. 길을 가는 동안 높은 봉우리가
손짓하겠지만 내 곁에 바싹 머물러라.

일이 잘 풀리지 않는 그때에 나를 신뢰하는 법을 배
우렴. 고난이 닥치는 그 순간에 나를 더 신뢰하고 또
의지해라. 그러면 그 모든 시험보다 더 큰 복이 온단
다. 나와 함께 손잡고 가자꾸나. 나는 네 길의 한 걸음
까지도 계획해 두었단다. 네 안에 있는 나를 깨달으며
내 손을 단단히 잡으렴. 우리는 함께 해낼 수 있다!

너희는 내 얼굴을 찾으라 하실 때에
내가 마음으로 주께 말하되 여호와여 내가
주의 얼굴을 찾으리이다 하였나이다(시 27:8).

＊＊＊＊＊

내 얼굴을 찾으라. 그러면 네가 꿈꿔 왔던 그 이상이 가능해진다. 모든 염려는 훌훌 벗어 던져라. 나는 물기를 함뻑 머금은 구름 같아서 네 마음 밭에 평안의 소나기를 내린단다. 나의 본성은 축복하는 것이고, 너의 본성은 감사함으로 복을 받는 거란다. 놀랍고 아름다운 조화가 아니냐! 이는 세상의 기초가 놓이기 전에 계획된 것이란! 내가 주는 복을 감사함으로 받아 나를 영화롭게 해라.

네가 그 모든 것을 통해 궁극적으로 도달해야 할 목표는 바로 나다. 네가 다른 목표에 사로잡혀 나를 잊는 그 순간에도 내 빛이 네가 마주하는 모든 상황을 비추고 있단다. 삶의 순간순간을 내게 의뢰하고 더욱 빛나는 삶을 살아라. 나를 추구하는 일을 결코 소홀히 마라.

이는 하늘이 땅보다 높음같이
내 길은 너희의 길보다 높으며
내 생각은 너희의 생각보다 높음이니라(사 55:9).

■ ■ ■ ■ ■

하루를 시작할 때 이날의 주인이 누구인지 늘 마음에 새겨라. 하루 계획을 세울 때 내가 네 삶의 일을 조화롭게 조율한다는 점을 기억하렴.

계획이 술술 잘 풀리는 날도 있지만, 어느 날은 계획이 틀어지는 날도 있지. 그럴 때는 나를 찾아라. 그때 네 삶에서 중요한 일을 하는 나를 발견할 텐데, 네 기대와는 사뭇 다른 일일 수도 있겠구나. 이런 때는 나의 길이 네 판단보다 더 나은 방법이란 걸 인정해라. 그리고 그 순간 무엇보다 중요한 것은 계속해서 나와 소통하는 일이란다. 상황을 모두 이해하려고 애쓰지 마라. 다만 나를 신뢰하며 그 모든 상황에서 미리 감사해라. 너를 향한 나의 생각은 오직 평안뿐이란다.

높음이나 깊음이나 다른 어떤 피조물이라도
우리를 우리 주 그리스도 예수 안에 있는
하나님의 사랑에서 끊을 수 없으리라(롬 8:39).

■■■■■

너는 내 것이다. 너는 온전히 나만을 의지해야 한다.
안정감은 오직 내 안에만 있기 때문이지. 다른 사람이
나 환경에서 찾으려 한다면 너는 결국 실패할 것이다.

오직 내게만 의존한다는 건 마치 팽팽한 줄 위를 걷
는 일처럼 느껴질 수도 있다. 하지만 조금도 두려워하
지 말렴. 그 줄 아래 든든한 안전망이 있단다. 바로 나
의 영원한 팔이지. 그러니 떨어질까 두려워하지 말고
앞에 있는 나를 바라보렴. 내가 항상 앞에서 손짓하며
너를 부르고 있지 않니. 한 번에 한 걸음씩 옮기렴. 높
음이나 깊음, 세상 어떤 피조물이라도 너를 내 사랑의
임재에서 끊을 수 없을 거란다.

너는 마음을 다하여 여호와를 신뢰하고
네 명철을 의지하지 말라 너는 범사에 그를 인정하라
그리하면 네 길을 지도하시리라(잠 3:5-6).

■ ■ ■ ■ ■

네 삶의 더 많은 영역에서 열심으로 나를 신뢰하렴.
어떤 일로 불안을 겪고 있니? 그 일은 너를 성장시키
는 기회란다. 기꺼이 부대끼며 내가 그 어려움 속에
숨겨 놓은 복을 받았으면 좋겠구나. 삶의 모든 영역을
통치하는 주권이 내게 있음을 믿는다면 어떤 상황에
서도 나를 신뢰할 수 있단다. 이미 벌어진 일을 후회
하고 탓하느라 에너지를 낭비하지 말고, 현재의 순간
에서 다시 힘차게 출발해라. 현재 상황을 받아들이고
내가 마련해 놓은 길을 찾아라.

신뢰는 나와 함께 비탈길을 갈 때 기댈 수 있는 지팡
이다. 언제나 흔들림 없이 나를 신뢰한다면 그 지팡이
는 필요한 만큼의 무게를 지탱해 줄 것이다. 네 이해
와 명철은 모두 버리고, 네 마음과 뜻을 다하여 나를
의지하고 신뢰해라.

어두운 데에 빛이 비치라 말씀하셨던 그 하나님께서
예수 그리스도의 얼굴에 있는 하나님의 영광을 아는 빛을
우리 마음에 비추셨느니라(고후 4:6).

■ ■ ■ ■ ■ ■

인간적인 한계는 문제가 되지 않는다. 기도하는 동
안 마음이 이리저리 방황하더라도 놀라거나 화내지
마라. 다시 온 마음을 모아 내게 집중하면 될 일이다.
그리고 너를 향한 내 사랑 안에서, 제한도 조건도 없
는 사랑 안에서 기뻐해라. 사랑 안에서 만족하며 내
이름을 읊조려라. 나는 결코 너를 떠나지도, 버리지도
않는다. 이와 같은 평화로운 서곡을 일마다 배치해 두
렴. 그 서곡들이 네가 온유하고 안정한 심령을 확보하
도록 도울 것이고, 나는 그로 인해 더없이 기뻐할 거
란다.

나와 나누는 친밀한 교제는 다른 이에게도 빛을 보
게 하는 복이 된단다. 약함과 상처는 내 영광을 아는
빛이 깃드는 창구이지. 내 능력이 약한 데서 온전해지
기 때문이다.

내 형제들아 너희가 여러 가지 시험을 당하거든
온전히 기쁘게 여기라(약 1:2).

■ ■ ∷ ∷ ∷

내 평안은 보배 중의 보배요, 매우 값진 진주란다.
주는 자와 받는 자 모두에게 정교하고 값진 선물이다.
너를 위해 내 피로 값을 치르고 이 평안을 샀다. 이 선
물을 받는 방법은 아주 간단하지. 인생의 풍랑 한복판
에서 나를 신뢰하면 된단다.

세상 일이 잘 풀리고 마음이 평온할 때는 신비로운
나의 평안을 구하지 않더구나. 하지만 일이 잘 풀리지
않는 순간에는 나를 떠올릴 텐데, 그때에도 내게 온전
히 감사하렴. 영적인 복은 시험이라는 포장지에 쌓여
오기 때문이란다. 타락한 세상에 사노라면 순간순간
어려움이 닥쳐 오는 것은 당연하단다. 매일 역경이 있
으리라 예상하고, 어려움에 직면하면 기뻐해라. 내가
세상을 이기었노라.

우리가 다 수건을 벗은 얼굴로 거울을 보는 것같이
주의 영광을 보매 그와 같은 형상으로 변화하여
영광에서 영광에 이르니 곧 주의 영으로
말미암음이니라(고후 3:18).

■ ■ ■ ■ ■

나는 너를 사랑한단다. 내 빛으로 너를 꼭 감싸 안고
싶구나. 그 빛 가운데 잠잠히 앉아 내가 주는 평안을
받으렴. 나와 함께 보내는 고요한 순간은 시간을 초월
해 네가 상상하는 그 이상을 이루어 낸단다. 내게 시
간을 예물로 드려, 너와 네 사랑하는 이들에게 넘치도
록 복 주는 나를 기대하렴.

나와 나누는 친밀한 교제로 너는 중심에서부터 변화
를 덧입는단다. 나를 바라보는 너를, 내가 바라는 존
재로 빚어낸단다. 너는 그저 네 안에서 일어나는 나의
창조적인 일에 복종하기만 하면 된다. 저항하지도 말
고 왜 이리 더딘지 애태우지도 마라. 속도는 내가 정
한단다. 너는 어린아이와 같은 신뢰로 내 손을 잡으면
된다. 그러면 네 앞길이 한 걸음씩 열릴 것이다.

이것을 너희에게 이르는 것은
너희로 내 안에서 평안을 누리게 하려 함이라
세상에서는 너희가 환난을 당하나 담대하라
내가 세상을 이기었노라(요 16:33).

■ ■ ■ ■ ■

문제가 없는 인생은 없단다. 모든 문제가 해결되기를 바라는 것은 헛된 희망이다. 내가 제자들에게 말한 것처럼 너는 세상에서 환난을 당할 것이다. 이 땅에 사는 동안에 만나는 문제를 해결하는 일에 소망을 두지 마라. 타락한 이 땅에서 완벽해지려 애쓰지 말고, 나를 찾는 일에 힘을 써라.

나를 즐거워하고 내게 영광 돌리는 일은 어떤 상황에서도 가능하다. 사실 내 빛은 어둠 속에서 나를 신뢰하는 믿는 자를 통해 가장 밝게 빛나지. 이는 초자연적인 신뢰로, 믿는 자들 가운데 내주하는 내 영이 창조한단다. 일이 잘 안 될 때에도 나를 신뢰해라. 어떤 일을 만나든지 내가 가르친 대로 올바르게 반응하기를 마음 깊이 바란다.

너희는 마음에 근심하지 말라
하나님을 믿으니 또 나를 믿으라(요 14:1).

∎∎∎∎∎∎

신뢰는 천국으로 향하는 황금으로 포장된 도로와 같지. 이 길을 걸으면 환경을 초월한 삶을 살 수 있단다. 내 영광스러운 빛은 이 생명의 길을 따라 걷는 사람에게 더 밝게 빛난다. 그 높은 수준의 길을 과감히 나와 함께 걸어야 한다. 천국으로 가는 최단 노선이기 때문이지.

낮은 수준의 길은 멀리 돌아간단다. 곤란한 상황에 부딪히면 빙글빙글 돌면서 말이다. 그 길 위의 공기는 무겁고 어두컴컴하며 불길한 구름이 하늘을 온통 뒤덮고 있다. 네 명철을 의지하면 너를 짓누를 것이다. 범사에 나를 인정해라. 그러면 내가 네 길을 지도할 거란다.

볼지어다 내가 세상 끝날까지
너희와 항상 함께 있으리라 하시니라(마 28:20).

■ ■ ■ ■ ■ ■

내가 너와 항상 함께 있다. 하늘로 승천하기 전 내가
했던 말이기도 하지. 내 말에 귀 기울이는 모든 이에
게 이 약속을 선포한단다. 사람들은 계속적인 나의 임
재에 다양한 방식으로 반응한다. 대부분의 그리스도
인들은 이 가르침을 사실로 받아들이면서도 일상의
삶에서는 무시해 버리지. 잘못된 가르침을 받았거나
상처 입은 신자들은 자신의 행동과 말, 생각 전부를
내가 안다는 사실을 두려워하더구나. 심지어 어떤 이
들은 화를 내기도 하지. 소수의 사람들만이 이 영광스
러운 약속에 삶의 모든 것을 집중시켜 기대 이상의 복
을 받지.

네 시선이 오직 나만을 향하면 네 인생 조각조각이
제자리를 찾는단다. 세상 모든 일들을 내 관점에서 볼
수 있단다. 이렇게 내가 너와 함께하므로 인생의 매
순간이 의미를 갖는다.

하나님 아는 것을 대적하여 높아진 것을
다 무너뜨리고 모든 생각을 사로잡아
그리스도에게 복종하게 하니(고후 10:5).

■ ■ ■ ■ ■

네 초점을 오로지 내게 맞추렴. 너에게 선물로 준 자
유 의지에는 마음의 중심을 선택할 능력도 포함되어
있단다. 인간만이 이처럼 뛰어난 능력을 받았으니, 이
는 내 형상을 따라 지음 받은 표시란다.

네 모든 생각을 내게 가져오는 것을 하루의 목표로
삼아라. 마음이 방황할 때는 생각을 밧줄로 묶어 내
임재 안으로 가져오렴. 나의 밝은 빛을 받아 염려는
작아져 쪼글쪼글해진다. 비판하는 사고는 조건 없는
사랑을 받아 벗겨진다. 이리저리 얽힌 혼란스러운 생
각은 분명한 내 평안 안에서 쉬는 동안 정리된다. 네
가 마음의 초점을 내게 맞추면 평강하고 평강하도록
지켜 주마.

그는 흉한 소문을 두려워하지 아니함이여
여호와를 의뢰하고 그의 마음을
굳게 정하였도다(시 112:7).

■■■■■

마음을 가장 크게 차지하는 대상이 네 신이 된다. 나
만을 예배해라. 염려에 빠지면 어느새 그 염려가 네
우상으로 발전한단다. 불안은 자체적으로 생명력을
얻어 기생충처럼 네 마음에 들끓게 되지. 나를 향한
신뢰를 확인하고, 내 임재 속에서 스스로를 새롭게 함
으로 이 굴레에서 벗어나라.

마음에서 일어나는 일은 눈에 보이지 않기 때문에
다른 사람은 알아차리지 못하지. 그러나 나는 끊임없
이 네 생각을 읽고, 나를 신뢰하는 증거를 찾는단다.
네 마음을 내게로 향하게 하렴. 그리고 생각을 부지런
히 지켜라. 생각을 잘 선택하면 내 곁에 가까이 머물
게 된단다.

여호와는 나의 힘과 나의 방패이시니
내 마음이 그를 의지하여 도움을 얻었도다
그러므로 내 마음이 크게 기뻐하며
내 노래로 그를 찬송하리로다(시 28:7).

■ ■ ■ ■ ■

네가 잠자리에서 일어나기 훨씬 전부터 나는 너의 하루를 계획해서 준비해 두었다. 그뿐 아니라 매 순간 네가 필요로 하는 힘을 공급한다. 네 힘을 어떻게 안배해야 할지 그리고 앞으로 어떤 일이 일어날지 고민하는 대신 나와 계속해서 소통하는 일에 집중하렴. 나의 능력은 우리가 막힘 없이 소통하면 자유롭게 너에게로 흘러든단다. 네가 걱정하는 데 에너지를 낭비하는 일이 없었으면 좋겠구나.

두려운 마음이 들 때면 내가 너의 방패임을 기억해라. 생명력 없는 갑옷과 달리 나는 항상 깨어 있어 제 기능을 하지. 언제나 내가 네 안에서 너를 지켜보며 모든 위험에서 너를 보호한다. 최선의 안전 시스템인 내 보살핌에 너를 기꺼이 맡기렴. 나는 너와 함께 있어 네가 어디로 가든지 너를 지킬 것이다.

내가 주를 의뢰하고 적군을 향해 달리며
내 하나님을 의지하고 담을 뛰어넘나이다(시 18:29).

■■■■■■

한 번에 한 걸음씩 나를 따르렴. 그게 너에게 요구하는 전부란다. 거대한 산이 위협적인 모습으로 앞을 가로막으면, 그 높이를 가늠하느라 주의를 살피지 못하게 되지. 그러다 결국 내가 이끄는 쉬운 길에서조차 넘어지고 말이다. 심지어 쓰러진 너를 다시 일으켜 세우니 앞으로 맞닥뜨릴 절벽에 대한 걱정을 쏟아내는구나.

얘야, 오늘 일도 모르면서 왜 내일 일을 걱정하느냐! 인생길 도처에는 갑자기 방향을 바꿔야 하는 일이 많단다. 그렇게 네가 염려하는 큰 산에서 자연스레 멀어지기도 하고, 때로는 오르다 보면 보기보다 산이 수월할 때도 있단다. 정말 힘든 절벽일 때는 언제나처럼 내가 너를 철저히 준비시킨단다. 그러니 너는 나를 의지해 훌쩍 담을 뛰어넘기만 하면 된단다.

너희는 이 세대를 본받지 말고
오직 마음을 새롭게 함으로 변화를 받아
하나님의 선하시고 기뻐하시고 온전하신 뜻이
무엇인지 분별하도록 하라(롬 12:2).

■ ■ ■ ■ ■ ■

네 생각을 그냥 내버려 두면 자연스럽게 문제에 집
중하는 경향이 있다. 문제에만 매달리며 오로지 그것
만 생각하느라 모든 에너지를 이 부정적인 초점에 쏟
아붓지. 그 가운데 최악은 그러다 나를 더 이상 전혀
보지 못한다는 사실이다.

새로워진 마음은 내 임재에 중심을 둔다. 매 순간 어
떤 상황에서든 나를 구하도록 네 마음을 훈련해라. 때
로는 주변 환경이나 사람을 통해 나를 발견하는 경우
도 있단다. 한편 나를 찾기 위해 내면으로 들어가야
하는 때도 있지. 나는 언제나 네 영과 함께 있다. 내 얼
굴을 구하고 내게 이야기하렴. 내가 너의 마음을 가볍
게 만들 테니 말이다.

그런즉 이 일에 대하여 우리가 무슨 말 하리요
만일 하나님이 우리를 위하시면
누가 우리를 대적하리요(롬 8:31).

■ ■ ■ ■ ■

나는 어떤 일이든 네가 혼자 감당하도록 두지 않는다. 그런 일은 결코 없다! 나는 네 편이며 항상 함께한단다. 네가 눈에 보이는 세계에 집중하느라 나를 전체 그림에서 배제하기 때문에 네가 염려를 하게 되는 거다. 보이는 것이 아니라 보이지 않는 것에 주목하렴. 너를 늘 살피는 나를 향한 네 신뢰를 말로 표현하렴. 나는 네 일생의 모든 날들 동안 너를 안전하게 지킬 거다. 하지만 너는 오직 현재 순간에만 나를 찾을 수 있다.

하루하루는 아버지로부터 온 귀한 선물이란다. 오늘의 선물이 바로 네 앞에 놓여 있는데 왜 어리석게 미래의 것을 움켜잡으려고 애쓰느냐! 감사함으로 오늘의 선물을 받아 조심스럽게 열고, 그 깊이를 헤아려 보렴. 이 선물의 의미를 깨달을 때 비로소 나를 발견할 수 있단다.

여호와는 그 얼굴을 네게로 향하여 드사
평강 주시기를 원하노라 할지니라(민 6:26).

■ ■ ■ ■ ■ ■

약함은 내게 가져오고, 내가 주는 평안을 받으렴. 너
자신과 네가 처한 환경을 있는 그대로 수용하되, 모든
일을 내가 통치한다는 점을 기억해라. 분석하고 계획
을 세우느라 에너지를 소진시키지 마라. 대신 감사하
고 신뢰하면서 하루하루 나의 인도를 따르렴. 감사와
신뢰는 네가 항상 내 가까이 있도록 해주기 때문이지.

내가 네 안에 거해 내 평안이 너를 비추면 너는 자신
의 약함과 강함 따위는 전혀 중요하지 않음을 깨닫게
된단다. 너의 초점이 오직 내게 맞춰져 있기 때문이
지. 오늘 하루를 사는 최고의 방법은 나와 함께 한걸
음씩 내딛는 것임을 기억해라. 은밀한 이 여정을 삶의
날들 동안 계속하렴. 네가 걷는 길은 천국으로 향해
있단다.

그러므로 땅이 변하든지 산이 흔들려
바다 가운데에 빠지든지 바닷물이 솟아나고 뛰놀든지
그것이 넘침으로 산이 흔들릴지라도
우리는 두려워하지 아니하리로다(시 46:2-3).

■ ■ ■ ■ ■ ■

나의 얼굴을 구하면 내 임재뿐 아니라 내가 주는 평
안도 찾는단다. 내 평안을 받으려면 신뢰하는 마음으
로 내게 마음을 열고, 너의 통제권은 내려놓으렴. 영
혼을 상하게 하지 않으면서 붙잡을 수 있는 유일한 대
상은 내 손뿐임을 기억해라. 네 안의 성령에게 하루
일과를 정리하고, 네 생각을 다스려 줄 것을 구하렴.
영의 생각은 생명과 평안이기 때문이다.

매일 만나는 수천 가지 선택 중에서 가장 근본적인
선택은 나를 신뢰할 것인지 아니면 걱정에 매달려 있
을지 결정하는 거란다. 걱정거리가 모두 사라지는 일
은 결코 없을 테지만, 어떤 상황에서도 나를 신뢰하기
로 선택할 수는 있지. 나는 환난 중에 만날 큰 도움이
니, 땅이 변하든지 산이 흔들려 바다 가운데에 빠지든
지 나를 신뢰하기를 당부한다.

수고하고 무거운 짐 진 자들아 다 내게로 오라
내가 너희를 쉬게 하리라(마 11:28).

■ ■ ■ ■ ■

나는 너에 대한 생각으로 가득해서 너에게 복 주고
회복시키는 일만 생각한단다. 나를 호흡하렴. 이제 곧
네 앞에 펼쳐질 길은 매우 가파르단다. 속도를 늦추고
내 손을 꼭 붙들어라. 나는 너에게 힘든 교훈을 가르
치는 중이란다. 그 교훈은 오직 고난을 통해서만 배울
수 있지.

믿음의 손을 활짝 펼쳐들고 소중한 나의 임재를 받
으렴. 빛, 생명, 기쁨, 그리고 평안이 이 선물에서 막
힘 없이 흘러나오지. 너의 초점이 내게서 멀어지면 너
는 다른 것을 붙잡으려고 한다. 생명이 없는 헛된 재
와 같은 대상을 잡기 위해 내 임재라는 빛나는 선물을
놓치는 셈이다. 내게로 돌아와서 내 임재를 다시금 받
아들여라.

내 영혼아 네가 어찌하여 낙심하며
어찌하여 내 속에서 불안해하는가
너는 하나님께 소망을 두라
나는 그가 나타나 도우심으로 말미암아
내 하나님을 여전히 찬송하리로다(시 42:11).

■ ■ ■ ■ ■ ■

내게 와서 쉬고 재충전해라. 피곤함을 부끄러워 마라. 네가 피곤하다는 건 내가 너의 삶을 진두지휘할 좋은 기회란다. 모든 것이 합력하여 선을 이룬단다. 현재 네가 있는 그곳은 바로 내가 너를 위해 준비한 자리란다. 오직 나만을 바라며 한 번에 한 걸음씩, 한 순간씩 살아내 보렴. 네 인생의 수많은 선택에서 내가 너를 인도하도록 온전히 맡기면서 말이다.

내 임재 가운데 살고자 하는 너의 갈망은 '세상', '육', '사탄'을 거스른단다. 네가 지치는 이유는 이 적들과 날마다 싸워야 하기 때문이지. 그러나 너는 내가 선택한 길 위에 서 있으니 포기하지 마라! 네가 하나님께 소망을 두어야 하는 이유는 내가 나타나 도움으로 인해 네가 나를 여전히 찬송할 것이기 때문이란다.

또 함께 일으키사 그리스도 예수 안에서
함께 하늘에 앉히시니(엡 2:6).

■ ■ ■ ■ ■

나는 문제, 고통, 그리고 끊임없이 소용돌이치는 세
상의 사건을 넘어 모든 것 위에 있단다. 내 얼굴을 바
람으로 너는 네 환경 위로 올라서 나와 함께 천국의
영역에서 쉼을 얻을 수 있단다. 이렇게 네 안에 나를
맞이함으로 평안을 누린다.

장담하건대 네 인생에서 문제는 사라지지는 않을 거
다. 그러나 결코 그 문제가 네 중심이 되어서는 안 된
다. 환경이라는 깊은 바다로 가라앉는 자신이 느껴질
때는 힘껏 외쳐라. "예수님, 도와주세요!" 그러면 너
를 다시 이끌 것이다. 설사 하루에 수천 번 구조 요청
을 외쳐야 할지라도 결코 낙심하지 마라. 나는 네 약
함을 알며, 바로 그 약함에서 우리는 깊이 만난단다.

보라 하나님은 나의 구원이시라
내가 신뢰하고 두려움이 없으리니
주 여호와는 나의 힘이시며
나의 노래시며 나의 구원이심이라(사 12:2).

■ ■ ■ ■ ■ ■

내 얼굴을 더욱 구해라. 너는 이제 막 나와의 은밀한 여행을 시작했단다. 이 여정이 쉽지는 않겠지만 기쁨이 있는 보물찾기 같은 특별한 길이란다. 내가 보물이고, 내 임재의 영광이 그 길을 따라 반짝이며 빛나지.

고난 또한 이 여행의 일부란다. 나는 매우 조심스럽게, 꼭 필요한 양만큼 이 길 위에 고난을 배치해 두었단다. 내가 얼마나 주의를 기울였는지 너는 상상조차 할 수 없을 거야. 고난 때문에 움츠러들지 마라. 고난은 내가 가장 아끼는 선물 가운데 하나이기 때문이다. 나를 신뢰하고 두려워하지 마라. 내가 너의 힘이며 노래이다.

내가 네 갈 길을 가르쳐 보이고
너를 주목하여 훈계하리로다(시 32:8).

■ ■ ■ ■ ■

일상의 요구를 뒤로 물리고 나와 충분한 시간을 보
내라. 온 우주의 창조주인 나를 기쁘게 하는 일에 시
간을 투자하면서 억눌린 마음은 훌훌 털어 버리렴. 나
는 전능하므로 모든 시간과 사건을 너에게 유리하게
할 수 있단다. 나와 나누는 교제가 풍성해질수록 작은
시간에도 더 많은 일을 이룰 수 있게 된단다. 또한 어
떤 일이든 내 관점에 투영해 보면 그 일이 정말 중요
한지 아닌지 판단할 수 있게 되지.

항상 분주하게 일하는 덫에 빠지지 마라. 사람들이
내 이름으로 행하는 일 가운데 상당히 많은 것이 내
나라에서는 전혀 중요하지 않단다. 의미 없는 일은 피
하고, 끊임없이 나와 친밀한 교제를 나눠라. 내가 네
갈 길을 가르쳐 보이고, 너를 훈계할 것이다.

너희가 피곤하여 낙심하지 않기 위하여
죄인들이 이같이 자기에게 거역한 일을
참으신 이를 생각하라(히 12:3).

■ ■ ■ ■ ■ ■

내 평안은 끊임없이 너를 비추는 한 줄기 빛과 같단
다. 태양빛이 환하게 빛나는 낮 시간 동안에는 주변
환경에 묻히기도 한다. 더 어두운 날에 내가 주는 평
안은 처한 환경과 극명한 대조를 이루어 도드라질 것
이다.

인생의 어두운 때를 만나거든 내 빛이 그 모든 것을
초월하는 탁월한 광채를 발할 기회라고 여기렴. 어둠
을 압도하는 나의 평안을 네가 깨닫도록 훈련시키는
거란다. 나와 함께 이 훈련에 협력하자꾸나. 피곤해하
지 말고 낙심하지 마라.

또 여호와를 기뻐하라
그가 네 마음의 소원을
네게 이루어 주시리로다(시 37:4).

■ ■ ■ ■ ■

나는 너의 모든 생각을 읽는다. 사람들은 생각이란 순간적이며 무가치하다고 여기지만, 나에게 네 생각은 참으로 소중하단다. 네 안에 거하는 나의 영이 내 생각으로 생각하도록 너를 돕는단다. 네 생각이 있는 곳에 네 존재도 있다.

네 삶의 목표를 내게 두렴. 내가 너와 함께 있는 하나님임을 알고 내게 모든 것을 의지하렴. 현대인들은 운동이나 새로 나온 물건을 소유하는 것이 마치 삶의 진정한 목표인 양 생각하지. 온갖 광고가 그런 욕망을 부추기고 말이다. 기억하렴. 네 영혼에 이 열망을 심은 이는 나란다. 오직 나만이 이 욕구를 충족시킬 수 있다. 나를 기뻐하고, 네 마음의 열망으로 삼아라.

예수께서 또 이르시되
너희에게 평강이 있을지어다
아버지께서 나를 보내신 것같이
나도 너희를 보내노라(요 20:21).

■ ■ ■ ■ ■ ■

너희에게 평강이 있을지어다! 이 축복은 부활 사건 이후 나를 갈망하는 이에게 주는 표어였다. 조용히 앉아 묵상할 때면 이 평안에 너를 맡기렴. 이 빛나는 평안을 너에게 주고자 나는 범죄자의 형벌을 받아 죽임을 당하지 않았더냐.

내 평안을 풍성하게 그리고 감사함으로 받아라. 이 귀한 보물은 섬세한 아름다움으로 빛나지만 모든 공격을 이길 만큼 강력하단다. 왕의 위엄을 지닌 나의 평안을 덧입어라. 네 마음과 생각을 나의 마음과 생각 가까이 둘 것이다.

이는 나 여호와 너의 하나님이
네 오른손을 붙들고 네게 이르기를
두려워하지 말라 내가 너를 도우리라
할 것임이니라(사 41:13).

■ ■ ■ ■ ■ ■

오늘이라는 모험에 최선을 다해라. 담대하게 인생길
을 걸으며 언제나 함께하는 동반자인 나를 의지해라.
네 인생의 모든 순간마다 그리고 영원까지 내가 함께
할 테니 너는 어떤 순간에도 자신만만해도 좋다.

두려움이나 염려처럼 너에게서 풍성한 삶을 빼앗아
가는 강도에게 무릎 꿇지 마라. 문제를 예측하는 데
에너지를 소진하지 말고, 문제가 닥쳤을 때 당당히 맞
설 수 있도록 나를 깊이 신뢰하렴. 믿음의 주요, 또 온
전하게 하는 이인 나를 바라보아라. 그러면 앞으로 일
어날 거라 예상되던 많은 문제들이 실제로 일어나기
도 전에 사라진단다. 두려운 마음이 들 때는 내가 네
오른손을 붙들고 있음을 기억해라. 어떤 것도 너를 내
임재에서 떼어놓을 수 없다!

여호와는 나의 목자시니
내게 부족함이 없으리로다(시 23:1).

■■□■■■

나는 네가 구하거나 생각하는 모든 것에 더 넘치도
록 능히 하는 이임을 기억해라. 내게 이런저런 일을
해달라고 지시하지 말고, 내가 이미 행하는 일에 너
자신을 조율하는 것이 옳다.

불안이 네 생각을 파고들 때는 내가 너의 목자임을
다시금 떠올리렴. 내가 너를 돌본다는 사실은 변하지
않는다. 따라서 걱정할 필요가 없지.

네 인생의 통제권을 놓치지 않으려고 애쓰는 대신
내 뜻에 너를 맡기렴. 이렇게 하는 게 두렵고 심지어
위험한 일처럼 느껴질 수도 있지만, 거하기에 가장 안
전한 곳은 내 뜻 안에 있단다.

모든 육체가 여호와 앞에서 잠잠할 것은
여호와께서 그의 거룩한 처소에서
일어나심이니라(슥 2:13).

■■■■■

네가 잠잠히 있어야만 하는 상황에 처하면 감사해라. 그 상황이 바뀌기를 바라거나 상황을 바꾸려고 성급하게 행동하느라 이 잠잠한 시간을 망치지 마라. 내 나라의 위대한 일 가운데에는 병중 침상과 감옥에서 행해진 일들도 있단다.

몸이 나약하다 불평하지 말고 그런 상황에서도 내 길을 찾아라. 나와 가까이 사는 것을 가장 큰 열망으로 삼으면 인생에서 느끼는 모든 제약에서 자유로워진단다. 잠잠하게 신뢰하면 내가 너와 함께함을 더 강하게 느끼게 될 거다. 나를 섬기는 이 간단한 방법을 가볍게 여기지 말렴. 세상 여러 활동에서 격리된 듯 느껴져도 잠잠히 신뢰하면 영적인 영역에서는 강력한 성명서를 발표하는 것과 같단다.

그런즉 누구든지 그리스도 안에 있으면
새로운 피조물이라 이전 것은 지나갔으니
보라 새 것이 되었도다(고후 5:17).

■ ■ ■ ■ ■

변화를 두려워하지 마라. 내가 너를 새로운 피조물
로 빚어, 이전 것이 지나가고 새 것을 나타내기 때문
이다. 옛 방식은 과감히 버리고, 내가 인생에 행하는
모든 일을 네가 포용하기를, 그리고 오직 내 안에서만
안전함을 누리기를 원한다.

삶 주변에 경계를 쳐두고 그 안에서 안정감을 찾으
면서 일상을 우상으로 만들기는 쉽단다. 하루는 24시
간이지만, 매일매일의 24시간은 일련의 독특한 환경
으로 이루어지지. 어제의 틀에 오늘을 끼워 맞추려고
애쓰지 마라. 대신 눈을 열어 달라고 기도함으로 귀한
하루인 오늘, 내가 너를 위해 준비한 모든 일들을 발
견하렴.

너의 하나님 여호와가 너의 가운데에 계시니
그는 구원을 베푸실 전능자이시라(습 3:17).

━━━━━

　인간의 인생은 굴곡이 심하단다. 그러나 네 안에 있
는 내가 추락의 폭을 조절한단다. 의지했던 사람이 실
망시키면 마음에 상처를 입곤 하지. 하지만 그 순간
내가 너와 함께 있음을 기억하렴.

　환경 때문에 애통해하는 대신 내게 도움을 구하렴.
내가 너와 함께할 뿐 아니라, 네 오른손을 굳게 붙들
고 있단다. 내 교훈으로 너를 인도하고 후에는 영광으
로 너를 영접한단다. 이 사실을 언제나 잊지 말고, 네
안에 있는 나에게 모든 것을 의뢰하며, 영광스러운 희
망을 떠올리렴.

하나님이 모세에게 이르시되
나는 스스로 있는 자이니라 또 이르시되
너는 이스라엘 자손에게 이같이 이르기를
스스로 있는 자가 나를 너희에게 보내셨다 하라(출 3:14).

■■■■■■

삶의 모든 순간 크고 작은 문제들이 넘쳐나고 너는
압박감을 느낀다. 당연히 문제에 몰두하게 되겠지만,
그 유혹에 항복해서는 안 된다. 삶에 고난이 닥치는
순간에는, 거기에 매달리기보다 나와 함께 양질의 시
간을 보냄으로 자유를 누리렴.

내 모든 능력과 영광을 되새기며 내가 누구인지 기
억해라. 그리고 겸손히 기도하고 간구하렴. 내 임재의
빛 속에서 문제를 바라보면 그 문제는 어느새 색이 바
라지. 부정적인 환경 한복판에서조차 구원의 하나님
인 내 안에서 기뻐하는 것을 배울 수 있단다. 너의 힘
인 내게 의지하면, 네 발을 사슴과 같게 해 너를 높은
곳으로 다니게 하마.

그리스도의 평강이 너희 마음을 주장하게 하라
너희는 평강을 위하여 한 몸으로 부르심을 받았나니
너희는 또한 감사하는 자가 되라(골 3:15).

■■■■■

나를 통해 진정한 네 중심을 바라보는 법을 배워라. 나는 네 내면의 가장 깊은 영과 영원한 연합을 이루며, 이로써 너는 내가 주는 평안을 온전히 누리게 되는 거란다.

주변 환경이나 인간 관계에서는 온전한 평안을 찾을 수 없단다. 사망과 타락 아래 있는 외부 세상은 항상 변한다. 하지만 너의 내면 깊숙한 곳에는 금광과 같은 평안이 있어서 네가 두드려 주기를 기다리고 있단다. 내주하는 내 임재의 부요함을 찾는 시간을 가지렴. 진정한 중심으로부터의 삶, 나의 사랑이 너를 영원히 붙드는 그곳의 삶을 네가 살았으면 좋겠구나. 나는 네 안에 있는 그리스도, 곧 영광의 소망이다.

그러므로 너희가 그리스도 예수를 주로 받았으니
그 안에서 행하되 그 안에 뿌리를 박으며
세움을 받아 교훈을 받은 대로 믿음에 굳게 서서
감사함을 넘치게 하라(골 2:6-7).

■ ■ ■ ■ ■

신뢰하고 감사하면 오늘 하루를 안전하게 살아낼 수
있다. 신뢰하면 염려와 집착에 빠지지 않고, 감사할
때 비판과 불평에서 멀어지지. 비판과 불평은 실과 바
늘처럼 같이 다니며 쉽게 너를 옭아매는 죄란다.

어떤 상황에서도 나를 바라고 있느냐. 그렇다면 잘
하고 있다! 그것이 바로 나를 신뢰하는 태도다. 하루
에도 수천 번씩 자유의지로 이 선택을 해야 한다. 나
를 신뢰하기로 선택하면 할수록 그 선택은 더 쉬워진
단다. 신뢰하는 사고 유형이 머리에 아로새겨지기 때
문이지. 문제를 마음의 주변부로 밀쳐 버리면 생각의
중심에 내가 자리한단다. 이렇게 나의 보살핌에 염려
를 맡기면서 내게 집중하는 거란다.

지금까지는 너희가 내 이름으로
아무것도 구하지 아니하였으나 구하라
그리하면 받으리니 너희 기쁨이 충만하리라(요 16:24).

너에게는 매 순간 내가 필요하단다. 항상 내가 필요하다는 깨달음이 너에게 가장 큰 힘이다. 이 필요를 잘 다루면 내 임재로 향하는 연결 통로가 되지. 하지만 그 길에는 빠지지 않도록 주의를 기울여야 하는 위험함도 있단다. 자기 연민, 자기 집착, 포기 등을 주의해라.

무능함은 나를 의지할지 아니면 절망할지 자꾸만 저울질하게 만든다. 네 안의 공허감은 문제로 가득 채워지든지 아니면 내 임재로 채워지지. 쉬지 않고 기도함으로써, 지금 현재의 순간에 흘러나오는 단순하면서도 짧은 기도로 나를 의식의 중심에 두어라. 내 이름을 자유롭게 사용해서 나의 임재를 돌이켜 생각해 내렴. 구하면 받으리니 네 기쁨이 충만하리라.

이러므로 우리에게 구름같이 둘러싼 허다한 증인들이 있으니
모든 무거운 것과 얽매이기 쉬운 죄를 벗어 버리고
인내로써 우리 앞에 당한 경주를 하며 믿음의 주요
또 온전하게 하시는 이인 예수를 바라보자(히 12:1-2).

■ ■ ■ ■ ■ ■

자기 연민의 함정을 경계해라. 자기 연민이라는 사탄의 덫은 지치고 몸이 아플 때 마주하는 가장 큰 위험이다. 이 함정을 경계하고 근처에도 가지 마라. 주변이 쉽게 무너져 내리는지라 미처 알아차리기도 전에 구덩이 아래로 떨어지기 때문이란다. 일단 그 함정에 빠지면 거기서 빠져 나오기는 함정에서 안전한 거리를 유지하는 것보다 훨씬 어렵다.

자기 연민의 함정에서 너를 보호할 수 있는 방법이 몇 가지 있다. 내게 찬양하고 감사하는 일로 채우면 스스로를 불쌍히 여기기란 불가능하지. 또한 내 가까이 살수록 자기 연민의 함정에서 멀어진다. 눈을 내게 고정시켜 내 임재의 빛 가운데서 살아라. 그러면 비틀거리거나 넘어지지 않고 인내로 네 앞에 당한 경주를 달릴 수 있다.

우리가 지금은 거울로 보는 것같이 희미하나
그때에는 얼굴과 얼굴을 대하여 볼 것이요
지금은 내가 부분적으로 아나 그때에는 주께서
나를 아신 것같이 내가 온전히 알리라(고전 13:12).

■ ■ ■ ■ ■

　그리스도인이라 해도 한계는 있다. 그 사실은 누구에게나 같단다. 그러나 내 사랑에는 제한이 없어서 모든 공간과 시간, 영원을 채운단다. 우주에 내 사랑만큼 강력한 힘은 없다. 내 사랑을 너에게 고백하는 동안 내가 주는 온전한 평안을 누리며 잠잠해라.

　우리가 지금은 거울로 보는 것같이 희미하나 그때에는 얼굴과 얼굴을 대하여 볼 거란다. 그때에는 내 사랑의 너비와 길이와 높이와 깊이가 어떠함을 깨달아 경험하게 될 거다. 이러한 경험은 마치 자신이 산산이 부서지는 느낌을 받는다. 하지만 네 앞에 확고하게 보장된 영원 동안에는 무한한 황홀감 속에서 내 임재를 누리게 된다. 지금은 너를 사랑하는 내 임재에 대한 지식이면 하루하루를 살기에 족하다.

범사에 감사하라 이것이 그리스도 예수 안에서
너희를 향하신 하나님의 뜻이니라(살전 5:18).

■ ■ ■ ■ ■

내가 너의 하루를 책임지도록 허락하렴. 출발선에
선 경주마가 갑자기 앞으로 박차고 나가듯이 일과에
달려들지 마라. 대신 나와 함께 목적을 두고 걸으면
서, 내가 너의 진로를 한 번에 한 걸음씩 인도하도록
하렴. 그 길을 가면서 만나는 축복마다 내게 감사하면
너와 나 모두에게 기쁨이 된단다.

마음에 감사가 넘치면 부정적인 생각에서 멀어진다.
감사가 넘치면 내가 매일매일 너에게 얼마나 풍성하
게 쏟아붓는지 보인단다. 감사가 깃든 기도와 간구는
하늘 보좌의 알현실*로 날아들지. 범사에 감사해라.
이것이 내 안에서 너를 향한 나의 뜻이란다.

알현실 : 국왕이 공식적으로 신하들을 만나는 장소.

감추어진 일은 우리 하나님 여호와께 속하였거니와
나타난 일은 영원히 우리와 우리 자손에게 속하였나니
이는 우리에게 이 율법의 모든 말씀을
행하게 하심이니라(신 29:29).

■ ■ ■ ■ ■

너의 미래는 불확실하고 엉망진창에 심지어 위태롭게도 보이지. 하지만 얘야, 미래의 일은 감추어진 일이고 감추어진 일은 여호와 하나님께 속했단다. 미래를 알아내려는 노력은 내게 속한 일을 네 손안에 두려는 것과 같다. 이는 곧 너를 보살피는 내 약속을 의심하는 반역 행위다.

미래를 염려하는 자신을 발견하거든 회개하고 내게로 돌아와라. 인생에서 내가 너를 한 걸음씩 인도하고 있다. 앞에 있는 다음 걸음을, 그 후에는 그 다음 걸음을, 그리고 나면 그 다음 다음 걸음을 보일 거란다. 네 중심에 나를 받아들여 온전한 평안을 누림으로 이 여정을 즐거워해라. 네가 가는 동안 너의 앞길을 활짝 열어 줄 나를 신뢰하렴.

내가 항상 주와 함께하니
주께서 내 오른손을 붙드셨나이다(시 73:23).

■ ■ ▪ ▪ ▪

네 시선을 내게 고정해라! 역경의 파도가 너를 덮치
면 포기하고 싶은 마음이 들지. 환경에 네 관심을 빼
앗기면 나를 시야에서 놓치고 만단다. 그러나 나는 항
상 너와 함께하며 네 오른손을 붙들고 있단다. 네가
어떤 상황에 처했는지 완전히 알고 있고, 네가 감당하
지 못할 시험은 허락하지 않는단다.

너에게 엄습하는 가장 큰 위험은 내일에 대한 염려
다. 내일의 짐을 오늘 지려고 애쓰면, 그 무게로 비틀
거리다 결국은 털썩 주저앉고 말지. 오늘 하루에 최선
을 다하렴. 내가 네 가까이 걷고 있다. 짐 진 너를 내가
돕는 때는 바로 지금 이 순간이다.

내가 여호와로 말미암아 크게 기뻐하며
내 영혼이 나의 하나님으로 말미암아 즐거워하리니
이는 그가 구원의 옷을 내게 입히시며
공의의 겉옷을 내게 더하심이 신랑이 사모를 쓰며
신부가 자기 보석으로 단장함 같게 하셨음이라(사 61:10).

■ ■ ■ ■ ■

　자신을 평가하고 판단하지 마라. 그건 네 몫이 아니다. 다른 사람과 비교하는 일은 그만두어라. 비교는 교만이나 열등감을 일으킨다. 나는 내 자녀 한 사람 한 사람을 각자에게 딱 맞는 유일한 길로 인도한단다.
　네가 진정한 확신을 찾을 유일한 곳은 무조건적인 나의 사랑이다. 많은 그리스도인이 마치 나를 자신들의 잘못이나 실패를 찾아내려는 재판관으로 본다. 이보다 더한 거짓은 없다! 나는 네 죄 때문에 너를 내 구원의 옷으로 덧입히기 위해 죽었다. 내게 너는 공의의 겉옷을 입어 빛나는 자란다. 너를 훈련시키며 결코 화내지 않으며, 우리가 영원히 나눌 교제에 대비해 너를 준비시킨다. 은혜의 보좌에서 끊임없이 흘러나오는 나의 확신을 받아라.

예수께서 이르시되 내가 올 때까지
그를 머물게 하고자 할지라도
네게 무슨 상관이냐 너는 나를 따르라
하시더라(요 21:22).

■ ■ ■ ■ ■

너는 바른 길로 가고 있다. 나에게 좀 더 귀 기울이
고, 불쑥 일어나는 의심에는 무심해지렴. 오직 너를
위해 계획한 길로 너를 인도한단다. 인간적으로 본다
면 외로운 길인 셈이지. 하지만 나는 너와 함께 갈 뿐
아니라, 네 앞에서 간단다. 결코 너 혼자가 아니다.

다른 이들을 향한 나의 뜻을 네가 이해할 수 없듯이
너를 향한 나의 뜻을 완전히 이해하는 이도 없단다.
너에게 생명의 길을 하루하루 매 순간 밝히 드러내지.
내 제자 베드로에게 말했듯이 너에게도 말한다. 너는
나를 따르라.

주께서 심지가 견고한 자를
평강하고 평강하도록 지키시리니
이는 그가 주를 신뢰함이니이다(사 26:3).

■ ■ ■ ■ ■

뭔가 걱정스럽고 불안할 때는 감사하는 마음으로 내
게 기도하렴. "예수님, 당신을 더욱 신뢰할 수 있는 기
회를 주셔서 감사합니다." 하고 말이다. 고난을 통해
나를 신뢰하는 것이 얼마나 큰 복인지 아는 교훈은 네
가 들이는 노력보다 그 유익함이 훨씬 더 크단다.

신뢰를 충실히 훈련하면 많은 복을 받으며, 그중 작
지 않은 복으로 내 평안이 있다. 나를 신뢰하는 정도
에 비례해 평강하고 평강하도록 지킨다고 약속했다.
세상은 이 약속을 거꾸로 이해한 나머지 충분한 돈과
소유, 보험, 안전 시스템이 있으면 평안하다고 가르친
다. 그러나 내가 주는 평안은 모든 것을 아우르는 선
물이기에 어떤 환경에도 좌우되지 않는단다. 설사 네
가 모든 것을 잃는다 해도 나의 평안을 얻는다면 진정
부유한 자다.

예수께서 이르시되 나는 부활이요 생명이니
나를 믿는 자는 죽어도 살겠고(요 11:25).

■ ■ ■ ■ ■ ■

나는 부활이요 생명이니, 생명이 있는 모든 존재는
내게서 나왔다. 사람들은 잘못된 방법으로 생명을 찾
기에 순간적인 쾌락을 좇고, 소유와 부를 축적하기도
하며, 나이를 먹어 가는 피할 수 없는 결과를 부정하
려는 어리석은 일도 하지.

반면 나는 내게로 돌아오는 모든 이에게 풍성한 삶
을 값없이 나누어 준단다. 내게로 와서 내 멍에를 지
면 바로 이 생명으로 너를 채운다. 나는 이런 방식으
로 세상에서 살기로 선택했으며, 내 목적을 이루기로
했다. 이는 또한 말할 수 없는 영광스러운 즐거움으로
너에게 복 주는 방식이란다. 기쁨은 내 것이며 영광
또한 내 것이지만, 네가 나의 임재 속에 살며 나를 초
대해 네 안에서 전적으로 살게끔 해주면 이 기쁨과 영
광을 너에게 준단다.

자기 양을 다 내놓은 후에 앞서 가면
양들이 그의 음성을 아는 고로 따라오되(요 10:4).

■ ■ ■ ■ ■ ■

네가 행한 일 때문이 아니라, 너의 너 됨으로 인해
너를 사랑한단다. 많은 내면의 목소리가 마음의 통제
권을 놓고 경쟁한다. 특히 네가 침묵할 때는 경쟁이
더 치열해지지. 나의 목소리와 그렇지 않은 소리를 분
별하는 법을 배워야 한다.

분별력을 달라고 내 영에게 구해라. 많은 자녀들이
자신의 삶에 지시를 내리는 수많은 음성에 질질 끌려
다니며 다람쥐 쳇바퀴 돌 듯 분주하게 살지. 그 결과
순간순간 좌절을 맛보고 말이다. 너는 이 함정에 빠지
지 마라. 매 순간 나와 동행하면서 나의 인도에 귀 기
울이고 나와의 동행을 즐겁게 누리렴. 다른 음성이 너
를 옭아매려 할 때는 단호히 거부해라. 내 양은 나의
음성을 아는 고로 나를 따라온다.

또 너희 중에 누가 염려함으로
그 키를 한 자라도 더할 수 있느냐
그런즉 가장 작은 일도 하지 못하면서
어찌 다른 일들을 염려하느냐(눅 12:25-26).

■ ■ ■ ■ ■ ■

걱정하기를 거부해라! 염려라는 유혹은 언제나 네
곁에 머물며 너에게 속삭인단다. 그 유혹을 물리치는
최선의 방어는 깊이 감사하며, 지속적으로 나와 친밀
한 교제를 나누는 것이다.

내 임재를 인식하면 빛과 평안이 네 마음에 가득 차
올라 두려워할 여지를 남겨 두지 않는다. 이 깨달음이
너를 네가 처한 환경 너머로 들어올려, 네 앞의 문제
를 내 관점으로 보도록 돕는다. 나와 친밀한 교제를
나누자꾸나. 우리가 함께 근심을 막을 수 있다.

우리가 알거니와 하나님을 사랑하는 자
곧 그의 뜻대로 부르심을 입은 자들에게는
모든 것이 합력하여 선을 이루느니라(롬 8:28).

■ ■ ■ ■ ■

살면서 만나는 모든 문제와 친구가 되렴. 이유를 이
해할 수 없는 문제도 있고, 잘못된 일처럼 느껴지는
문제도 많을 테지만 내가 모든 일을 통치한다는 사실
을 기억하렴. 네 앞의 문제도 내가 준 것이요, 그 문제
를 통해 교훈을 얻어 네가 변화되기를 바라는 마음에
서란다.

문제와 친구가 되는 최선의 방법은 문제에 대해 나
에게 감사하는 거란다. 그렇게만 하면 고통을 통해 너
에게 혜택이 온단다. 매번 같은 문제가 반복된다 해서
두려워 말고 여유 있는 마음으로 별명을 붙여 주렴.
그러면 두려움 대신 친숙함을 가지고 문제에 접근할
수 있단다. 그 다음 문제를 내게 털어놓으렴. 너의 문
제를 없애지 않을 수도 있지만, 나의 지혜는 네가 경
험하는 모든 문제로부터 선을 이끌어 내기에 충분하
단다.

그러므로 자기를 힘입어 하나님께
나아가는 자들을 온전히 구원하실 수 있으니
이는 그가 항상 살아 계셔서 그들을 위하여
간구하심이라(히 7:25).

■ ■ ■ ■ ■ ■

삶의 여정을 나와 함께 계속 걸어가며, 역경 속에서
도 내 임재를 기뻐하렴. 나는 항상 네 곁에 있을 뿐 아
니라 앞에도 있단다. 내게로 와서 나를 따라라.

너보다 앞서 가며 길을 여는 나는 네 가까이 머물며
결코 네 손을 놓지 않는단다. 나는 시간과 공간에 아
무런 제약을 받지 않는다. 나는 모든 곳에 언제나 존
재하며, 너를 위해 쉬지 않고 일한다. 그러니 너는 나
를 신뢰하며 내 곁에 가까이 사는 일에 최선의 노력을
다해라.

주는 나의 도움이 되셨음이라
내가 주의 날개 그늘에서 즐겁게 부르리이다
나의 영혼이 주를 가까이 따르니
주의 오른손이 나를 붙드시거니와(시 63:7-8).

■ ■ ▪ ▪ ■ ■

오늘 하루도 너를 돕고 싶구나. 네가 맞닥뜨려야 할
도전은 혼자 감당하기에는 너무 크단다. 연속적으로
일어나는 사건들을 감당해 가면서 순간순간 무력함을
느낄 수 있다. 그와 같은 순간에 고집 부리며 혼자 버
거워할지, 아니면 나를 의뢰하는 겸손한 발걸음으로
걸을지 선택의 기로에 서게 되지. 알고 보면 네 삶의
순간순간은 모두 선택으로 이루어진단다. 다만, 어려
운 일 앞에서는 그 선택 과정이 더 도드라져 보이는
거란다. 그러니 네가 여러 가지 시험을 당하거든 온전
히 기쁘게 여겨라. 시험은 오직 내게만 의지함을 배우
게 하는 선물이란다.

그런즉 너희는 먼저 그의 나라와 그의 의를 구하라
그리하면 이 모든 것을 너희에게 더하시리라(마 6:33).

■■■■■

나의 얼굴을 구하는 일에 최고의 열심을 내야 한다.
나는 계속해서 너와 교통한다. 나를 찾고 내 목소리를
들으려면, 다른 어떤 것보다 나를 구해야 한다. 나보
다 더 갈망하는 대상은 우상이다. 네 방식대로 인생을
살기로 결정하면 의식에서 나를 덮어 버리는 것과 같
단다.

어떤 목적을 추구하며 거기에 몰두하기보다 그 문제
에 대해서 나와 이야기를 나누자꾸나. 내 임재의 빛이
네가 추구하는 바를 비춰 그 대상을 나의 관점에서 보
도록 하렴. 그 목표가 너를 향한 내 계획에 부합한다
면 나는 네가 이룰 수 있도록 돕는다. 그러나 너를 향
한 내 뜻을 거스른다면 나는 점차 네 마음의 욕구를
바꾼다. 먼저 나를 구해라. 그러면 네 인생 퍼즐의 나
머지 조각들은 하나씩 하나씩 제자리를 찾게 될 거다.

오직 성령의 열매는 사랑과 희락과 화평과
오래 참음과 자비와 양선과 충성과 온유와 절제니
이 같은 것을 금지할 법이 없느니라(갈 5:22-23).

■■■■■

빛나는 내 임재 안에서 쉬어라. 세상은 점점 더 빠르게 돌아서 모든 일이 흐릿해진다. 하지만 네 인생의 중심에는 평온함의 층이 있어 우리가 함께 연합하여 살 수 있단다. 쉼을 주는 이 중심 영역으로 가능한 자주 돌아오렴. 나의 사랑과 기쁨, 그리고 평안으로 너를 채우렴.

세상은 궁핍한 곳이니 거기에는 너에게 유익한 자양물이 하나도 없단다. 내게로 와라. 오직 내게만 의존하는 법을 배우면 너의 약함을 내 능력으로 가득 채울 것이다. 내 안에서 완전함을 찾을 때 자신의 필요를 충족시키고자 타인을 이용하지 않으면서 그들을 도울 수 있다. 내 임재의 빛 속에 살 때 네 빛이 다른 이들의 삶을 밝게 비출 수 있단다.

하나님의 도는 완전하고 여호와의 말씀은 순수하니
그는 자기에게 피하는 모든 자의 방패시로다(시 18:30).

■■·■■·■

너는 영원히 내 것이니, 시간을 넘어 영원까지 내 것
이다. 어떤 세력도 천국에 있는 네 유산을 부정할 수
없다. 네가 얼마나 완벽하게 안전한지 알았으면 좋겠
구나. 인생 여정을 지나며 불안한 순간에도 나는 절대
너를 홀로 두지 않는다.

네 미래는 전적으로 보장되어 있으니 오늘을 풍성히
사는 자유를 누리려무나. 너를 온전히 아는 내가 최고
의 섬세한 배려와 관심을 기울여 오늘을 준비했단다.
이 하루를 네가 채워 넣어야 하는 공백인 양 간주하지
말고 내가 행하는 모든 일에 주의를 기울이렴. 그러기
위해서는 나를 깊이 신뢰해야 하며, 내 도는 완전함을
깨달아야 한단다.

만일 우리가 성령으로 살면
또한 성령으로 행할지니(갈 5:25).

■ ■ ▫ ▫ ▪

눈에 보이는 바에 의존하지 말고 믿음으로 걸어라.
나를 의지하며 믿음의 걸음을 뗄 때, 너를 위해 얼마
나 많은 일을 할 수 있는지 보여 주마. 너무 안전하게
만 살면 너를 통해 일하는 나를 알아보는 감격을 결코
누리지 못한다.

내 영을 너에게 주었을 때 너의 자연적인 능력과 힘
이상으로 사는 능력을 부여했단다. 그러므로 어떤 일
에 도전하기에 앞서 '과연 내가 저 일을 감당할 수 있
을까?' 하고 계산하는 것은 큰 잘못이다. 핵심은 네
힘이 아니라 내 힘이다. 내 능력은 무한하다. 내 곁에
가까이 걸으면 너는 내 목적을 나의 힘으로 이룰 수
있단다.

너는 여호와를 기다릴지어다

강하고 담대하며 여호와를 기다릴지어다(시 27:14).

■■■■■■

기다림과 신뢰 그리고 소망함은 긴밀하게 연관되어 있단다. 신뢰가 중심 가닥인데, 이는 내 자녀에게 가장 원하는 반응이기 때문이다. 기다림과 신뢰는 중심 가닥을 장식해 꾸미고, 너와 나를 연결하는 사슬을 강하게 해준다. 오직 나만을 바라며 내가 일하기를 기다린다면, 나를 향한 진정한 신뢰를 보이는 증거가 된다. 입으로는 "당신을 신뢰합니다."라고 말하면서 정작 네 방식으로 일을 처리하려 애쓴다면 너의 고백은 공허한 울림에 불과하다.

소망함은 너와 천국에 있는 유산을 연결해 준다. 그러나 소망의 혜택은 전적으로 현재에 임한단다. 너는 내 것이기에 기다림은 시간 낭비가 아니란다. 신뢰하는 마음으로 기다려라. 안테나를 높이 세워 어렴풋이 보이는 내 임재의 희미한 빛까지도 잡아내렴.

지금은 너희가 근심하나
내가 다시 너희를 보리니 너희 마음이 기쁠 것이요
너희 기쁨을 빼앗을 자가 없으리라(요 16:22).

■ ■ ■ ■ ■

환경을 초월하여 사는 방법을 배워라. 이렇게 하려
면 세상을 이긴 나와 깊은 교제를 나누어야 한다. 문
제와 고난은 소멸하는 세상이라는 천에 짜여 있는 무
늬와 같지. 네 안에 있는 내 생명만이 끝없이 흘러드
는 문제를 기꺼이 마주할 수 있는 능력을 준다.

내 임재 속에 잠잠히 있을 때, 문제로 인해 어지러운
네 이성과 마음에 내가 평화의 빛을 비춘단다. 너는
조금씩 이 땅의 사슬에서 자유해지고 환경 너머로 들
어 올려지지. 인생에 대한 나의 관점을 배워 중요한
것과 그렇지 않은 것을 분별할 능력을 얻는다. 내 임
재 속에 쉼으로 빼앗을 자가 없는 기쁨을 받아라.

우리가 다 수건을 벗은 얼굴로 거울을 보는 것같이
주의 영광을 보매 그와 같은 형상으로 변화하여
영광에서 영광에 이르니 곧 주의 영으로
말미암음이니라(고후 3:18).

■ ■ ■ ■ ■

내가 주는 풍성한 기쁨을 주저하지 말고 받아라. 내
임재 안에서 쉬는 이에게는 나의 축복이 더 자유롭게
흘러든다. 내 사랑의 빛 속에서 너는 점차 변화하여
영광에서 영광에 이른다. 나와 함께 보내는 시간을 통
해 너를 향한 내 사랑의 너비와 길이와 높이와 깊이가
어떠한지 깨닫게 된다.

내 생명을 네 안에 쏟아부었으니 너는 받기만 하면
된단다. 일한 만큼 받는다는 이 세상에서 쉬면서 받으
라는 메시지가 참 쉬워 보이지. 받는 것과 믿는 것 사
이에는 긴밀한 관계가 있기 때문에 나를 더욱 신뢰할
수록 내가 주는 복과 나를 풍성하게 받을 수 있단다.
너는 가만히 있어 내가 하나님 됨을 알도록 해라.

너의 하나님 여호와가 너의 가운데에 계시니
그는 구원을 베푸실 전능자이시라
그가 너로 말미암아 기쁨을 이기지 못하시며
너를 잠잠히 사랑하시며 너로 말미암아 즐거이 부르며
기뻐하시리라 하리라(습 3:17).

■ ■ ■ ■ ■ ■

너를 향한 내 사랑의 노래에 귀를 기울이렴. 나는 너로 말미암아 기쁨을 이기지 못하며, 너로 말미암아 즐거이 부르며 기뻐하고 있다. 세상의 소리가 너를 이리저리로 잡아끌 테지만, 그 소리에 마음을 빼앗기지 마라. 내 말씀으로 그 소리에 과감히 도전해라. 나의 임재를 구하며, 내 목소리에 귀를 기울여라.

나는 너에게 나를 드러내기 원하는 까닭에 열심히 나를 찾으면 내가 드러내는 더 많은 나를 받을 수 있단다. 구하라, 그러면 너에게 줄 것이다. 찾아라, 그러면 발견할 것이다. 문을 두드려라, 그러면 너에게 문이 열릴 것이다.

마음의 즐거움은 양약이라도
심령의 근심은 뼈를 마르게 하느니라(잠 17:22).

■ ■ ■ ■ ■ ■

약함을 깨닫는 것은 좋은 일이다. 바로 그 깨달음 덕
분에 너의 힘이 되는 나를 계속해서 바라보기 때문이
지. 풍성한 삶은 지속적으로 나를 의지하며 사는 삶이
란다. 미리 생각해 둔 틀 안에 오늘 하루를 끼워 맞추
려고 애쓰는 대신 쉼을 누리며 내가 행하는 일을 주목
하렴. 그러면 너는 자유로워지고, 나아가 너를 위해
세운 내 계획이 한눈에 보일 거란다.

자신을 너무 심각하게 받아들이지 마라. 밝은 마음
으로 나와 함께 웃어 보렴. 내가 네 편인데 걱정할 일
이 뭐가 있어? 어떤 일에든지 너를 준비시킬 수 있다.
또한 하루가 힘들수록 너를 돕고자 하는 나의 열망은
더욱 커진다. 걱정은 너를 네 존재 안에 넣고 꽁꽁 싸
매 네 생각 안에 널 가둬 버린단다. 나를 바라보고 내
이름을 속삭일 때 그 속박에서 자유롭게 되며 도움을
받는다. 나에게 중심을 맞춰라. 그러면 내 임재 가운
데 평안을 찾게 될 거다.

여호와여 주께서 나를 살펴보셨으므로
나를 아시나이다(시 139:1).

◼◼◼◼◼

나에게 와서 이해를 구해야 함은 네가 너 자신을 아는 것보다 내가 너를 훨씬 더 잘 알기 때문이다. 모든 복잡한 상황에 처한 너를 이해하고, 너의 삶의 구석구석 모르는 곳이 없단다. 그러므로 치유하는 내 임재의 빛이 네 존재의 가장 은밀한 곳을 비추게끔 하렴. 너를 닦고, 치유하며, 생기를 되찾아 새롭게 하도록 말이다.

나를 신뢰하되 끊임없이 제공하는 완전한 용서를 수용하기까지 그렇게 해라. 이 위대한 선물은 내 생명으로 값을 치른 것이며, 영원토록 네 것이다. 용서는 지속적인 내 임재의 핵심에 자리한다. 나는 너를 떠나지 아니하며 버리지 않는다. 어느 누구도 너를 이해하지 못할 때는 내게 더 가까이 오렴. 내 사랑이 너를 채우면 너는 사랑의 저수지가 되어 다른 사람들의 삶으로 흘러넘친단다.

그러므로 내일 일을 위하여 염려하지 말라
내일 일은 내일이 염려할 것이요
한 날의 괴로움은 그날로 족하니라(마 6:34).

■ ■ ■ ■ ■

하루씩 나를 신뢰하렴. 그러면 내게 더 가까이 머물며, 나의 뜻에 반응하며 살 수 있단다. 신뢰는 자연스레 일어나는 반응이 아니란다. 깊이 상처 받은 사람들에게는 더욱 그렇고 말야. 네 안에 있는 내 영은 가정교사와 같아서 신뢰하고자 하는 초자연적인 너의 노력을 돕는다. 성령의 부드러운 손길에 순종하며, 그의 인도함에 민감해라.

어떤 상황에서든 나를 믿어야 한다. 상황을 이해하려 애쓰느라 네 안에 있는 나를 잊는 오류를 범하지 마라. 나를 깊이 의지하며 살면 나는 오늘 이 하루를 승리하며 살아내도록 너를 준비시킨다. 내일 일을 위하여 염려하지 마라. 내일 일은 내일이 염려할 것이요, 한 날의 괴로움은 그날로 족하다.

그러므로 이제 그리스도 예수 안에 있는 자에게는
결코 정죄함이 없나니(롬 8:1).

■ ■ ─ ■ ■

　나는 네 존재의 깊은 곳에 말을 건넨단다. 나는 너를
사랑하고 너에게 평안을 끼치고 싶구나. 비난하는 말
은 나에게서 나온 말이 아니니 귀를 기울이지 마라.
내 영은 죄를 분명하게 판단하나 심령을 짓밟는 수치
감을 주는 말로 하지 않는다. 내 영이 너의 마음을 다
스려, 뒤엉킨 거짓을 풀어내도록 해라. 네 안에 내가
거한다는 이 진리로 변화받아라.

　내 존재의 빛은 평안의 축복으로 너를 비춘다. 염려
하거나 두려워함으로 인해 빛이 바래게 하지 마라. 사
람들이나 상황에 반응하기 전에 내 영이 너를 통해 일
할 여지를 주려무나. 성급한 말과 행동은 내게 여지를
주지 않으니, 이런 태도가 바로 무신론적인 삶이다.
나는 네가 사는 모든 순간에 거하며, 너의 생각, 언어,
그리고 행동을 은혜롭게 하길 원한다.

곧 이것을 우리에게 이루게 하시고
보증으로 성령을 우리에게 주신 이는
하나님이시니라(고후 5:5).

■ ■ ■ ■ ■ ■

내 영이라는 영광스러운 선물에 감사해라. 이것은 우물의 펌프에 마중물*을 붓는 행동과 같단다. 네가 어떤 감정을 느끼는지와 무관하게 감사의 제사를 내게 올릴 때, 나의 영은 네 안에서 더욱 자유롭게 일한다. 그렇게 되면 너에게 감사가 넘치기까지 더 많은 감사와 자유가 샘솟는단다.

날마다 너에게 축복을 물 붓듯 쏟아붓지만, 때로 너는 그 복을 깨닫지 못하는구나. 네 마음이 부정적인 초점에 막혀 있을 때는 너는 나도, 내 선물도 보지 못하지. 네 마음을 사로잡은 것이 무엇이든 간에 믿음으로 감사해라. 이 감사가 막힌 담을 허물어 나를 발견하게끔 한다.

마중물 : 펌프에서 물이 잘 나오지 아니할 때 물을 끌어올리기 위하여 위에서 붓는 물.

•

보라 하나님은 나의 구원이시라
내가 신뢰하고 두려움이 없으리니
주 여호와는 나의 힘이시며
나의 노래시며 나의 구원이심이라(사 12:2).

■ ■ ■ ■ ■

두려워 말고 나를 신뢰해야 하는 이유는 내가 너의
힘이요, 노래이기 때문이다. '내가 너의 힘'이라는 말
이 무슨 뜻인지 생각해 보렴. 내가 우주를 존재하라고
명령함으로 창조했듯이 내 힘은 절대적으로 무한하
다! 인간이기에 약한 너에게 나의 능력은 자석이 끌리
듯이 향한단다. 그러나 네 안에 가득한 두려움이 너에
게로 흘러드는 나의 힘을 막는구나. 두려움과 싸우려
하지 말고 나를 신뢰하는 데 집중해라. 그러면 내가
너를 강하게 할 거란다.

내가 또한 너의 노래됨을 기억해라. 내 임재를 의식
적으로 인식하고 살면서 내 기쁨을 함께 나눴으면 좋
겠구나. 우리가 함께 천국으로 향하는 여정을 갈 때
기뻐하며 내 노래를 함께 찬양하자꾸나.

·

주 안에서 항상 기뻐하라
내가 다시 말하노니 기뻐하라(빌 4:4).

■ ■ ▪ ▪ ▪ ▪

기뻐하고 감사해라! 나와 함께 오늘 하루를 걸으며 나를 신뢰하며 감사하는 연습을 하렴. 신뢰는 나의 평안이 너에게 흘러드는 수로와 같다. 감사는 네 환경 위로 너를 높이 들어올리지.

나는 감사하며 신뢰하는 사람들을 통해 정녕 위대한 일을 한단다. 계획을 세우고 평가하기보다는 계속해서 나를 신뢰하며 감사하기를 연습해라. 이것이 바로 삶을 혁명적으로 변하게 할 인식의 전환이란다.

내가 이 성의 식료품에 풍족히 복을 주고
떡으로 그 빈민을 만족하게 하리로다(시 132:15).

■ ■ : : ■ ■

　나는 아주 작은 일도 살피는 하나님일 뿐 아니라, 넘치는 풍요의 하나님이라. 삶의 작은 일까지 나에게 의뢰함으로 너의 간구에 내가 얼마나 철저하게 응답하는지 깜짝 놀랄 것이다. 네 기도를 듣는 일은 내게 기쁨이니 부담 없이 내게 구하렴. 무엇보다 가장 좋은 일은, 너의 구체적인 기도에 내가 정확히 응답하는 것을 경험함으로 네 믿음이 강해진다는 사실이다.

　나는 모든 일에 무한하니 나의 자원이 떨어질까 두려워할 필요 없다. 나는 풍족하니 필요한 모든 것을 받는다는 즐거운 기대를 가지고 내게 오렴. 그리고 때로 필요보다 더 많이 받기도 한단다. 내 사랑하는 자녀에게 축복을 부어 주는 게 나에게 기쁨이다. 펼친 손과 열린 마음으로 내게 와서 너를 위해 준비한 모든 응답을 받을 준비를 해라.

예수 그리스도는 어제나 오늘이나
영원토록 동일하시니라(히 13:8).

■ ■ ■ ■ ■ ■

지금은 인생에서 내려놓음을 배워야 하는 때다. 사랑하는 사람과 소유, 그리고 통제권을 내려놓아라. 소중한 무엇인가를 내려놓기 위해서는 내 임재 속에서 안식해야 하며, 너는 그곳에서 완전해질 수 있단다. 내 사랑의 빛 가운데서 안식할수록 움켜잡았던 손아귀의 힘이 풀려 부여잡고 있던 소유를 내 보살핌 안에 풀어놓게 된다.

나의 변함없는 임재를 깨달으면 격변의 시기에도 안정감을 느낄 수 있단다. 나는 너를 결코 떠나지 않으며, 어제나 오늘이나 영원토록 동일하다. 내 보살핌에 더 많은 일을 맡길수록 나는 결코 네 손을 놓지 않을 거다. 세상 누구도 내가 끼치는 평안을 너에게서 빼앗지 못한다.

그들 가운데 어떤 사람들이 원망하다가
멸망시키는 자에게 멸망하였나니
너희는 그들과 같이 원망하지 말라(고전 10:10).

■ ■ ■ ■ ■

감사하는 마음으로 네 모든 생각을 단련해라. 감사
하는 마음가짐은 네가 나와 지속적으로 교통하게 해
준단다. 나의 자녀라 하면서 종종 불평하며 나의 주권
을 무시하는 이들이 있는데, 나는 이것이 너무 싫구
나. 이 치명적인 죄악에서 너를 보호해 주는 안전장치
가 바로 감사함이다.

또한 감사하는 태도는 네가 삶을 인식하는 기준이
된단다. 감사는 네 모든 환경 위에 비치는 내 임재의
빛을 볼 수 있도록 돕지. 감사하는 마음을 키우렴. 그
것은 나를 영화롭게 하는 것이요, 너를 기쁨으로 가득
채우기 때문이다.

사람이 여호와의 구원을 바라고
잠잠히 기다림이 좋도다(애 3:26).

■■■■■■

　나를 기다림은 내가 행할 일을 희망을 품고 기대하
며 나를 바라본다는 뜻이다. 나를 기다리는 태도는 네
삶을, 하루의 삶 그리고 매일의 삶을 살도록 내가 계
획한 방식이다. 내가 너를 창조할 때, 일상의 업무를
볼 때 지속적으로 나를 인식하게 했단다.

　나를 기다리는 자에게 많은 복을 약속했다. 새 힘,
환경을 초월해 사는 삶, 다시 찾은 희망, 계속적인 내
임재의 인식 등이 바로 그 복이다. 나를 기다리면 네
가 나를 깊이 의지하는 삶을 살아 나를 영화롭게 하도
록 하고, 나의 뜻을 행하도록 준비시킨다. 또한 나를
기뻐하도록 돕는다. 내 안에 완전한 기쁨이 있기 때문
이다.

그러나 너를 책망할 것이 있나니
너의 처음 사랑을 버렸느니라(계 2:4).

■■■■■

내 임재 안에서 잠잠해라. 무수히 많은 일로 혼란한 때에도 그렇게 해라. 나와 함께 시간을 보내는 일보다 더 중요한 일은 없다. 내 임재 속에서 네가 기다리는 동안 나는 네 안에서 가장 좋은 일을 행한단다. 네 마음을 새롭게 함으로 너를 새롭게 하는 일이지.

내가 너에게 주는 것들이 주된 목적이 되어서는 안 된다. 물론 내가 주는 것이지만, 너에게 건네는 그 어떤 선물보다 내가 위대하기 때문이다. 내 자녀를 축복하는 일은 나도 더없이 기쁘지만, 내가 주는 복을 우상으로 삼을 때는 더없이 슬프단다. 너의 첫 사랑인 나에게서 네 마음을 빼앗아 가는 모든 복이 우상이다. 나를 네 마음의 궁극적인 갈망으로 삼으라. 모든 선물 가운데 최고인 네 안에 계신 그리스도를 바라라.

내가 진실로 너희에게 이르노니
누구든지 하나님의 나라를
어린아이와 같이 받들지 않는 자는
결단코 그곳에 들어가지 못하리라(막 10:15).

■ ■ ■ ■ ■

나는 주는 하나님이라서 아낌 없이 준단다. 너를 위해 십자가에서 죽음으로 나는 모든 것을 주었다. 주는 것은 내 본성이라서 나는 받을 사람들을 최대한 찾는단다.

나와 친밀감을 키우고자 할 때 가장 필요한 특징 두 가지는 '수용성'과 '주의력'이다. 수용성은 네 존재의 가장 깊은 곳을 열어 풍성한 내 부요함으로 채워지도록 한다. 주의력은 네 시선을 내게로 행하도록 해 모든 순간에 나를 찾도록 하지. 선지자 이사야는, 네 마음의 심지를 견고히 내게 두는 것은 가능하다고 밝혔다. 이런 주의력으로 너는 영광스러운 선물, 곧 나의 완전한 평안을 받는다.

범사에 기한이 있고
천하 만사가 다 때가 있나니(전 3:1).

■ ■ ■ ■ ■

때가 이르기 전에 일을 해결하려고 애쓰지 마라. 한 번에 하루씩 살아내야 한다는 것을 받아들여라. 혹 어떤 일이 생기거든 꼭 오늘 해야 하는 일인지 내게 물어보렴. 오늘 감당할 일이 아니라면, 내가 살피도록 내려놓고 너는 오늘 해야 할 일을 시작하렴. 이 방법을 따르면 삶에 놀라운 단순함이 생겨 일의 기한을 누리게 되고, 천하 만사를 때에 맞춰 하게 되지.

나와 친밀하게 사는 삶은 복잡하거나 어수선하지 않다. 네 초점을 나의 임재에 놓을 때는 한때 너를 힘들게 했던 문제가 그 힘을 잃게 된다. 주변 세상이 엉망진창이 되고 혼란스러울 때는 내가 세상을 이겼음을 기억해라. 이것을 너에게 이르는 것은 너로 내 안에서 평안을 누리게 하려 함이란다.

영원하신 하나님이 네 처소가 되시니
그의 영원하신 팔이 네 아래에 있도다
그가 네 앞에서 대적을 쫓으시며
멸하라 하시도다(신 33:27).

■■■■■

내가 너를 보살핀다 약속하지 않았느냐. 어떤 상황
에서도 나를 신뢰해라. 몸이 지치고 일이란 일은 모두
잘못된 듯 보일 때조차 여전히 고백해라. "예수님, 당
신을 신뢰합니다." 이렇게 고백하면 그 문제는 내 통
치권 아래 놓이고, 너는 나의 영원한 팔이 주는 안전
함을 다시 누리게 된다.

네가 아침에 잠자리에서 일어나기도 전에, 나는 너
의 하루에 일어날 일을 배열해 두었단다. 하루하루는
나의 방식을 배우고, 나와 더욱 친밀해질 기회를 제공
하지. 정말로 볼 수 있는 눈으로 하루를 보면 내 임재
를 알려 주는 표시는 가장 어두운 날조차도 밝힌다.
나를 찾아라. 숨겨진 보물을 찾듯이 나를 발견하게 될
거다.

너희는 여호와의 선하심을 맛보아 알지어다
그에게 피하는 자는 복이 있도다(시 34:8).

■ ■ ■ ■ ■

나의 선함을 맛보아라. 나를 친밀하게 경험하면 내 선함을 더욱 확신할 수 있다. 나는 너를 살피는 살아 있는 하나님으로 너의 삶에 참여하기를 원한단다. 매 순간 나를 발견하고 내 사랑이 임재하는 통로가 되도록 너를 훈련시킨다.

내 임재라는 선물, 그 깊이와 넓이를 측량할 수 없을 정도로 거대한 크기의 이 선물에 감사해라. 부활 이후 제자들에게 모습을 드러냈을 때 가장 먼저 말한 내용은 평화였다. 그들의 두려움을 가라앉혀 마음을 정돈해야 하는 가장 깊은 필요를 알았기 때문이지. 너에게도 평화를 말하는 까닭은 너의 염려를 알기 때문이다. 나는 네가 하루 내내 그리고 매일 평화 가운데 거하도록 너를 지었단다. 내게 가까이 와서 나의 평안을 받아라.

쉬지 말고 기도하라(살전 5:17).

■ ■ ■ ■ ■ ■

　나와 날마다 교제하며 살자꾸나. 환경을 초월해 사는 법을 배우렴. 나와 편안하게 의사소통하기 위해 단순한 삶을 구한다는 걸 안다. 하지만 얘야, 어수선하지 않은 세계를 꿈꾸는 환상을 버리라고 너에게 도전한다. 하루하루를 있는 모습 그대로 받아들이되, 그 가운데 거하는 나를 찾아라.

　하루 일을 아주 세세한 것까지 나와 이야기 나누며, 우리 관계의 궁극적인 목적은 끊임없이 친밀함을 형성하는 것임을 명심하렴. 성공적인 하루란 하루 동안 얼마나 많은 일을 성취해 냈느냐에 달린 게 아니라, 그날의 일과 중에 네가 나와 얼마나 소통했느냐에 달려 있다. 해야 할 일 목록이 우상이 되어서는 안 된다. 대신 나의 영에게 매 순간 인도해 달라고 구하렴. 그가 너를 내 곁에 가까이 둘 거란다.

우리가 잠시 받는 환난의 경한 것이
지극히 크고 영원한 영광의 중한 것을
우리에게 이루게 함이니(고후 4:17).

나의 영광 가운데 그 풍성한 대로 너의 모든 쓸 것을 채우리라 약속했다. 너의 가장 깊은 곳에서는 언제나 변함없이 내가 주는 평안을 갈망한단다. 그런데 그 평안이 깃든 마음의 정원에는 교만과 근심, 이기심, 불신과 같은 잡초가 불쑥불쑥 자라지. 나는 농부다. 네 마음에서 이 잡초를 뽑는 게 바로 나란다. 네가 나와 함께 잠잠히 앉으면 네 마음 가득 내 임재의 빛이 임하지. 그러면 이 하늘의 빛 속에서 평안은 풍성히 자라고 잡초는 시들어 버린단다.

고난 중에 나를 신뢰하면 평안이 번성하고 잡초는 말라 죽는다. 골치 아픈 상황에서도 내게 감사해라. 시험을 통해 네가 얻을 평안이 그 고통을 훨씬 능가하기 때문이다.

우리가 주목하는 것은 보이는 것이 아니요
보이지 않는 것이니 보이는 것은 잠깐이요
보이지 않는 것은 영원함이라(고후 4:18).

■ ■ ■ ■ ■

내 안에서 너는 모든 것을 소유했다. 내 안에서 너는
완전하다. 내가 네 마음에 있는 쓰레기와 잡동사니를
제거하면서 나를 경험하는 역량이 커진단다. 나를 향
한 열망은 강해지고, 다른 욕망은 점차 사그라진다.
너는 무한히 그리고 풍성하게 내게 올 수 있으니, 다
른 무엇보다 나를 더욱 열망함이 삶을 살아내는 최선
의 방법이지.

내가 채울 수 없는 필요는 없다. 내가 너를 창조했
고, 존재하는 모든 것을 지었으니 말이다. 간혹 세상
이 달리 보일 때도 있겠지만, 그래도 여전히 내 명령
에 따른단다. 겉모습에 속지 마라. 보이는 것은 잠깐
이요, 보이지 않는 것은 영원하다.

그가 나를 푸른 풀밭에 누이시며
쉴 만한 물 가로 인도하시는도다(시 23:2).

■■■■■

네 영혼의 잠잠한 곳에서 너를 만난다. 그곳이 너와 교통하고자 하는 곳이지. 내 임재에 마음을 연 사람은 내게 말할 수 없이 소중하단다. 내 눈은 온 땅을 두루 감찰해 나를 구하는 마음을 가진 사람을 찾지. 나를 찾으려고 노력하는 너와 내가 함께 찾는 결과물은 충만한 기쁨이다.

이 세대에서는 영혼의 잠잠함을 찾아보기가 너무 힘들구나. 속도와 소음에 중독되어 있기 때문이지. 너는 조용한 곳을 찾아 나와 교제를 나누렴. 이와 같은 너의 행동이 나를 복되게 하며, 그 과정이 얼마나 어려운지 알기에 내가 네 모든 노력까지도 보고 있단다.

주 여호와 이스라엘의 거룩하신 이가 이같이 말씀하시되
너희가 돌이켜 조용히 있어야 구원을 얻을 것이요
잠잠하고 신뢰하여야 힘을 얻을 것이거늘
너희가 원하지 아니하고(사 30:15).

■ ■ ■ ■ ■

내 사랑과 기쁨, 평안으로 너를 채우게 해주렴. 이는 영광의 선물로서 살아 있는 내 임재에서 흘러나온다. 흙으로 빚어진 너라는 토기에 나는 내 계획에 따라 하늘의 내용물로 채운단다. 성령으로 채워지는 일에 네 약점은 어떤 장애도 되지 않는다. 이는 오히려 내 영이 더 밝은 빛을 발하게끔 하는 기회가 되지.

오늘을 사는 데 필요한 모든 힘을 내가 공급해 준단다. 오늘 일을 감당할 수 있을지 염려하느라 에너지를 낭비하지 마라. 네 안에 있는 내 영은 오늘 생기는 모든 일을 능히 처리할 만큼 만반의 준비를 갖추었단다. 그러기 위해서는 가장 먼저 잠잠하고 내 충만함을 의지하며 신뢰해야 한다.

내가 주께 감사제를 드리고
여호와의 이름을 부르리이다(시 116:17).

■ ■ ■ ■ ■

나에게 감사 제사를 올려라. 아침에 태양이 떠오르
는 것조차 당연시 여기지 마라. 사탄이 에덴 동산에서
하와를 유혹하기 전에 감사는 매우 자연스러웠단다.
에덴 동산에는 감미롭고 먹음직스러운 열매가 가득했
지만, 하와는 자신이 먹을 수 없는 단 한 가지 과일에
집중하면서 자유롭게 취할 수 있는 풍성한 다른 선택
에는 오히려 감사하지 않았지. 이와 같은 부정적인 초
점이 하와의 마음을 어둡게 해서 유혹에 굴복하고 만
것이다.

가지지 못한 것, 너를 불쾌하게 만드는 상황에 집중
하지 마라. 인생, 구원, 햇빛, 꽃, 그리고 내가 준 무수
히 많은 다른 선물을 당연히 여기지 말고, 이들 모두
에 감사해라. 나는 감사가 넘치는 이에게 임해 속속들
이 변화시킨단다. 감사의 원리를 실천하면서 나와 함
께 빛 가운데 행하자꾸나.

그러나 여호와여, 이제 주는 우리 아버지시니이다
우리는 진흙이요 주는 토기장이시니
우리는 다 주의 손으로 지으신 것이니이다(사 64:8).

■ ■ ■ ■ ■ ■

나는 토기장이요, 너는 진흙이다. 나는 땅의 기초를 세우기 전에 너를 계획했다. 영원한 내 사랑은 네 삶의 모든 순간에 깃들어 있단다. 너와 내 뜻이 서로 부드럽게 조화되는 때가 있다. 우리의 뜻이 조화를 이룰 때면 너는 삶에 안정감을 느끼지. 그런가 하면 물살을 거스르듯 내 목적을 거스르는 느낌이 드는 날도 있다. 이런 때는 멈춰 서서 나를 바라보려무나. 네가 느끼는 반대는 내게서 온 저항이거나, 사탄에게서 왔을 수도 있다.

네가 겪는 모든 일을 내게 이야기해 주렴. 나의 영이 너를 인도해 사나운 물살을 지나 통과할 수 있도록 해라. 격앙된 물살을 나와 함께 거슬러 헤엄칠 때 환경이 너를 내가 바라는 존재로 빚어 가도록 해라. 오늘 하루를 살면서 너의 토기장이에게 순종해라.

내가 너와 함께 있어 네가 어디로 가든지 너를 지키며
너를 이끌어 이 땅으로 돌아오게 할지라
내가 네게 허락한 것을 다 이루기까지
너를 떠나지 아니하리라 하신지라(창 28:15).

■ ■ ■ ■ ■ ■

나는 언제나 너와 함께하는 변함없는 친구요, 공급
자다. 문제는 네가 나를 위해서 함께 있느냐는 점이
다. 나는 결코 너를 떠날 수 없지만, 네가 나를 무시하
면 본질적으로 나를 떠나는 태도다. 내가 너와 함께
있지 않는 것처럼 생각하거나 행동하면 그렇단다. 우
리 관계가 멀어졌다고 느낀다면 문제는 네 쪽에 있다.
너를 향한 나의 사랑은 변함이 없어서 어제나 오늘이
나 영원토록 동일하다.

내게서 멀어진 듯 느껴질 때는 내 이름을 부르렴. 이
간단한 행동을 어린아이와 같은 믿음으로 실천에 옮
기면 마음이 내 임재를 향해 열린단다. 애정 어린 말
투로 대화를 건네고 내게서 사랑을, 영원토록 십자가
에서 흘러나오는 그 사랑을 받길 기대해라.

여호와께서 이르시되 내가 친히 가리라
내가 너를 쉬게 하리라(출 33:14).

■ ■ ■ ■ ■

너는 영원히 내 것이니 어떤 것도 내 안에 있는 하나
님의 사랑에서 끊을 수 없다. 내 생명을 주었는데, 어
찌 너를 소홀히 하겠느냐. 생각이 자연스럽게 흘러가
도록 두면 문득문득 불안함과 외로움이 엄습하지. 다
시 내게로 집중하고 싶다면 너 자신과 아울러 너를 어
지럽히는 문제를 내게 가져오기만 하면 된다.

내 사랑 안에 거하면 모든 문제는 사라져 버린다. 이
는 네가 결코 혼자가 아님을 깨달았기 때문이다. 물론
여전히 남아 있는 문제들도 있는데, 이는 값 없이 너
에게 주는 관계를 기쁘게 누리는 일, 그리고 나를 아
는 일에 비해 중요하지 않아서란다. 내 임재를 연습하
기로 선택할지, 아니면 문제에 푹 빠져 살지는 항상
네 선택에 달려 있단다.

그러나 무릇 여호와를 의지하며
여호와를 의뢰하는 그 사람은
복을 받을 것이라(렘 17:7).

■ ■ ■ ■ ■ ■

　네 삶의 모든 일에서 나를 신뢰해라. 내 왕국에서 우
연이란 없단다. 하나님을 사랑하는 자, 곧 그의 뜻대
로 부르심을 입은 자들에게는 모든 것이 합력하여 선
을 이룬다. 모든 일이 합력하는 복잡한 방법을 분석하
기보다는 나를 신뢰하고 항상 내게 감사하는 일에 힘
을 쏟아라. 네가 내 가까이서 동행할 때 낭비란 없다.
실수와 죄까지도 너를 변화시키는 나의 은혜 안에서
선한 것으로 바꾼단다.
　네가 여전히 어둠 속에 있을 때에 죄로 얼룩진 너의
삶에 내 임재의 빛을 비추었다. 너를 수렁에서 끌어올
려 나의 놀라운 빛 속에 두었다. 너를 위해 다름 아닌
내 생명을 희생했기에 너는 마땅히 네 삶의 모든 면면
에서 나를 신뢰해야 한다.

형제들아 나는 아직 내가 잡은 줄로 여기지 아니하고
오직 한 일 즉 뒤에 있는 것은 잊어버리고
앞에 있는 것을 잡으려고 푯대를 향하여
그리스도 예수 안에서 하나님이 위에서 부르신
부름의 상을 위하여 달려가노라(빌 3:13-14).

■ ■ ■ ■ ■

이날은 내가 정한 날이라. 즐거워하고 기뻐해라. 믿음으로 손을 펼쳐 오늘 하루 쏟아붓는 모든 복을 받을 준비를 해라. 날씨조차도 불평하지 말렴. 내가 네 환경의 주관자이기 때문이다. 반갑지 않은 상황을 처리하는 최선의 방법은 그로 인한 감사를 내게 표현하는 거다. 그러면 네 마음속 분이 가라앉을 것이며, 또한 내가 그 상황 속에서 내 뜻을 실현하여 그 속에 선한 일이 나타나도록 해준다.

이날에 기쁨을 찾으려면, 하루의 경계 안에서 살아야 한다. 하루를 24개의 시간으로 구분해 둔 이유가 있단다. 네가 오직 한 번에 하루의 무게만을 견딜 수 있기 때문이다. 내일 일을 걱정하지도, 과거에 매여 살지도 마라. 내 임재 속에서 사는 오늘에는 풍성한 생명이 있다.

여호와여 그러하여도
나는 주께 의지하고 말하기를
주는 내 하나님이시라 하였나이다(시 31:14).

■ ■ ■ ■ ■ ■

매 순간 나를 신뢰하기로 선택해야 한다. 광야에서
내가 기적을 행한 후에 선택받은 나의 자녀들은 나를
신뢰했다. 하지만 이는 일시적일 뿐이었고, 금방 다시
불평하면서 내 인내심을 시험했다.

네 모습도 종종 이들과 같구나. 일이 잘 풀릴 때는
나를 신뢰하지만, 일이 잘못될 때는 네 안에서 흘러나
오는 신뢰의 속도가 느려지면서 굳어지더구나. 나를
신뢰할 것인지 아니면 너를 대하는 방식에 내게 분노
할지 선택하는 건 너에게 달려 있다. 무엇을 선택하느
냐에 따라 네 인생 여정이 달라진단다. 나와 함께 생
명 길에 머물면서 내 임재를 기뻐하렴. 모든 상황 가
운데 나를 신뢰하기로 선택해라.

나는 포도나무요 너희는 가지라
그가 내 안에, 내가 그 안에 거하면
사람이 열매를 많이 맺나니 나를 떠나서는
너희가 아무것도 할 수 없음이라(요 15:5).

■ ■ ■ ■ ■

너에게 특별한 인도함을 보이지 않는 때는 네 자리를 지켜라. 일상의 업무에 집중하면서 너와 함께하는 내 임재에 집중해라. 모든 일을 나를 위해 하면, 내 임재의 기쁨이 너를 비출 것이다. 이것이 기쁨을 누리는 삶의 비밀이며, 승리하는 삶을 사는 비법이다. 매 순간 나를 의지해 살도록 너를 설계했기에, 나를 떠나서는 아무 일도 할 수 없다는 점을 깨닫는다.

뭔가 특별한 일이 일어나지 않는 조용한 날들에 감사해라. 이 정도로는 도저히 문제를 해결하지 못한다 염려 말고, 나에게 시간을 구해라. 눈에 보이지 않는 활동일지라도 영적인 세계에서는 크게 소리 지르는 일과 같다. 뿐만 아니라 일과에서 나를 신뢰하며 걸을 때 값진 복을 받는단다.

우리가 이 소망을 가지고 있는 것은
영혼의 닻 같아서 튼튼하고 견고하여
휘장 안에 들어가나니(히 6:19).

■■■■■■

천국은 현재와 미래 모두에 있단다. 너는 내 가까이
서 이미 천국의 정수를 경험하고 있단다. 세상이 아름
다운 이유는 내가 임재한 까닭이며, 반짝이는 태양빛
이 네 마음을 깨워 나의 찬란한 빛을 생각해 내도록
부드럽게 다독이지. 새들과 꽃, 나무와 하늘이 거룩한
내 이름을 찬양하라고 너를 부추긴다. 눈과 귀를 활짝
열고 나와 함께 이 여행을 하자꾸나.

네 인생길의 막다른 곳에 천국 입구가 있다. 나만이
네가 언제 그 목적지에 도달할지 알기에 네가 천국에
입성하도록 준비시킨단다. 너를 위해 준비된 천국 본
향을 확신해라. 너는 내가 허락하는 완벽한 때에 본향
에 다다를 것이며, 조금이라도 빨라지거나 늦어지지
않을 거다.

보라 하나님은 나의 구원이시라
내가 신뢰하고 두려움이 없으리니
주 여호와는 나의 힘이시며 나의 노래시며
나의 구원이심이라(사 12:2).

■ ■ ■ ■ ■

나를 신뢰하고 두려워하지 마라. 이런저런 많은 일
들이 제멋대로이고, 일과도 제대로 돌아가지 않는다.
너는 삶이 예측 가능할 때 더욱 안전하다고 느낀다는
걸 안다. 하지만 나는 너보다 그리고 너의 환경보다
더 큰 바위에 너를 인도하고자 한단다. 내 날개 아래
피해 거기에서 절대적인 평안을 누리렴.

안락한 일상이 흔들려 혼란스러울 때는 내 손을 꼭
잡고 성장의 기회를 찾아라. 편안함이 사라졌다고 한
탄하지 말고, 뭔가 새로운 일의 도전을 받아들여라.
내가 너를 영광에서 영광으로 인도하여 내 왕국에 걸
맞게 매만진단다. 너의 삶에서 일하는 내 방식에 순종
해라. 나를 신뢰하고 두려워하지 마라.

서로 불러 이르되
거룩하다 거룩하다 거룩하다 만군의 여호와여
그의 영광이 온 땅에 충만하도다 하더라(사 6:3).

■■■■■

감사가 넘치는 삶을 살아라. 감사하는 마음은 네 삶
의 주권을 내게 맡김으로 시작된다. 나는 우주의 창조
주이며 운행하는 자라. 하늘과 땅을 영광스러운 나의
임재로 채웠다.

비난하거나 불평하는 것은 나보다 네가 더 이 세상
을 더 잘 운영할 수 있다는 의미가 된다. 제한된 인간
적인 시각으로는 내가 일을 잘못 처리하는 것처럼 보
일 수도 있다. 하지만 너는 내가 아는 사실이나 내가
보는 바를 알지 못한다. 천국의 영역을 볼 수 있도록
네 앞에 드리운 커튼을 걷으면 더 잘 이해할 수 있을
것이다. 그러나 얘야, 나는 믿음으로 행하고 보는 것
으로 행하지 않도록 너를 지었단다. 나는 너를 사랑하
기에 미래를 아는 일에서나 영의 세계를 보는 일에서
너를 보호한단다. 범사에 감사함으로 내 주권을 인정
해라.

두려워하지 말라 내가 너와 함께함이라
놀라지 말라 나는 네 하나님이 됨이라
내가 너를 굳세게 하리라 참으로 너를 도와주리라
참으로 나의 의로운 오른손으로 너를 붙들리라(사 41:10).

■ ■ ■ ■ ■

나는 너에게 끈기를 훈련시키는 중이란다. 참 많은
일들이 네 중심에 나를 두는 일을 방해한다. 네가 사
는 이 세상은 온갖 볼거리와 유혹의 소리가 가득하다.
하지만 그런 자극의 노예가 돼서는 안 된다. 무슨 일
이 일어나도 언제나 계속해서 나를 의식해야 한다. 너
에게 바라는 끈기가 이런 모습이다.

예상하지 못한 일이 생겼다고 가야 할 길에서 벗어
나지 마라. 내가 너와 함께함을 기억하면서 잠잠히 확
신에 찬 반응으로 대응하렴. 혹여나 무엇엔가 관심이
생기면 바로 나와 이야기하자꾸나. 나는 네 기쁨과 문
제를 공유하면서 앞에 놓인 문제가 무엇이든지 간에
네가 처리할 수 있도록 돕는단다. 네 안에 살면서 너
를 통해 일하는 방법이지.

그러므로 우리는 긍휼하심을 받고
때를 따라 돕는 은혜를 얻기 위하여
은혜의 보좌 앞에 담대히 나아갈 것이니라(히 4:16).

‧‧‧‧‧‧

평안은 내가 주는 선물로 내 은혜의 보좌에서 풍성
히 흘러나온다. 이스라엘 백성은 하루하루 만나를 주
우면서 날마다 내게 의존해야 함을 깨달았다. 마찬가
지로 네가 기도와 간구로 감사하며 내게 나오면 현재
에 족한 평안을 주지. 만일 내가 영구적인, 곧 내 임재
에서 독립적인 평안을 건네면 자기 만족이라는 덫에
빠질 수도 있단다. 그런 일은 결코 없기를 축복한다.

매 순간 내가 필요하도록 너를 지었다. 네 필요를 의
식할수록 내 풍성한 공급함을 더 깨닫게 된다. 네 모
든 쓸 것을 채워도 내 자원은 조금도 줄어들지 않을
만큼 풍부하다. 은혜의 보좌 앞에 담대히 나아와서 감
사함으로 내 평안을 받아라.

주의 얼굴을 주의 종에게 비추시고
주의 사랑하심으로 나를 구원하소서(시 31:16).

■ ■ ■ ■ ■ ■

네가 일을 얼마나 잘해내느냐 지켜보고 너를 사랑하
는 게 아니란다. 내가 영원한 사랑으로 너를 사랑하니
이 사랑은 한계도, 조건도 없는 영원에서 흘러나온다.
내가 공의의 겉옷을 너에게 더한 일은 영원한 사건으
로 어떤 일도, 그 누구도 바꿀 수 없다. 그러므로 그리
스도인으로서 이룬 일은 너를 향한 내 사랑에 아무 영
향도 주지 않는단다. 사실 그날의 일을 얼마나 잘해냈
는지 가늠하는 것조차도 의미가 없단다. 너의 관점은
제한된 데다 너의 판단에는 네 몸 상태도 적용되니 그
런 평가는 왜곡될 수밖에 없기 때문이다.

'내가 무엇을 잘했지? 무슨 잘못을 했지?' 같은 불
안은 내게 내려놓고 그 자리에 변함없는 나의 사랑을
채워 넣어라. 너를 사랑하는 네 안에 그리고 네가 하
는 모든 일에서 나의 임재를 늘 의식하고자 노력하면
내가 너의 길을 인도할 거란다.

너희는 강하고 담대하라 두려워하지 말라
그들 앞에서 떨지 말라 이는 네 하나님 여호와가
너와 함께 가시며 결코 너를 떠나지 아니하시며
버리지 아니하실 것임이라(신 31:6).

■ ■ ■ ■ ■ ■

두려워하지 마라. 내가 너와 함께함이라. 들썩이는
네 마음에 잠잠하고 고요하라고 명령하는 내 음성을
들어라. 어떤 일이 생기더라도 결코 너를 떠나지 않을
것이며 버리지 않을 것이다. 땅이 변하든지, 산이 흔
들려 바다 가운데에 빠지든지 너는 걱정하지 않아도
된다.

미디어는 하루도 빠짐 없이 나쁜 소식들을 실어나른
다. 이들의 천편일률적인 기사에 질릴 것이다. 변덕스
럽게 바뀌는 뉴스 보도에 집중하기보다 살아 있는 말
씀, 곧 언제나 동일한 분에게 네 주파수를 맞춰라. 성
경이 생각과 마음을 가득 채우면 생명의 길로 계속 걷
게 될 것이다. 내일 무슨 일이 일어날지 알지 못해도
최종 목적지가 어딘지는 분명하게 확신할 수 있다. 내
가 네 오른손을 붙들고 훗날 영광으로 너를 영접할 거
란다.

육신의 생각은 사망이요
영의 생각은 생명과 평안이니라(롬 8:6).

■ ■ ■ ■ ■ ■

내가 네 마음을 통제하게끔 해주렴. 마음은 불안정
하고 또 제멋대로지. 인간은 최고의 창조물이기에 그
마음은 놀랍도록 복잡하단다. 하지만 나는 그런 위험
을 기꺼이 감당하며 너에게 혼자 생각할 수 있는 자유
를 주었다. 이 자유는 다른 동물이나 로봇과 너를 구
별하는 속성이다. 나는 너를 내 형상을 따라 위험할
정도로 신에 가깝게 창조했다.

내 피로 완전히 너를 구속했지만 네 마음은 반란군
의 마지막 요새와 같다. 너의 마음을 열어서 찬란한
내 빛이 네 사고에 스며들도록 해라. 영의 생각은 생
명과 평안이니라.

내 양은 내 음성을 들으며
나는 그들을 알며 그들은 나를 따르느니라(요 10:27).

■ ■ ■ ■ ■

끊임없이 나에게 귀를 기울여라. 기도가 필요한 수많은 사람들, 그리고 그런 상황에 관해 너와 할 이야기가 참 많단다. 너의 마음을 내게 더욱 고정함으로 내 영의 도움을 받아 네 주위에 혼란스럽게 하는 일들을 몰아내야 한다.

거룩한 신뢰로, 내가 주도하는 바에 반응하면서 네 계획에 일을 맞추려 애쓰지 말고 나와 함께 걸어라. 너에게 자유를 주려고 내가 선택한 죽음은, 강박적인 계획에서 너를 자유롭게 하는 일에도 해당된다. 마음에 여러 가지 생각이 소용돌이 칠 때는 네 목소리가 들리지 않게 마련이지. 계획에 마음을 사로잡힌다는 건 통제라는 우상에 절하는 일과 같다. 우상 숭배에서 돌아서서 내게로 돌아와라. 내 음성에 귀 기울임으로 풍성한 삶을 살아라!

주께서 생명의 길을 내게 보이시리니
주의 앞에는 충만한 기쁨이 있고
주의 오른쪽에는 영원한 즐거움이 있나이다(시 16:11).

■ ■ ■ ■ ■

눈을 내게 향하게 하는 까닭은 능력을 받기 위해서
다. 네가 감당할 만한 준비가 되지 않으면 절대로 어
떤 일도 맡기지 않는다. 그러므로 네가 하는 모든 일
에서 내 뜻을 찾아야 한다. 조금 더 열심히 하는 태도
가 언제나 더 낫다는 생각을 하면서 에너지를 소진해
버리는 그리스도인들이 참 많구나. 거절하는 일은 영
적이지 못하다고 여기기 때문이지.

내 뜻을 알기 위해서는 나와 함께하는 시간을 보내
며, 내 임재를 즐거워해야 한다. 이 일은 힘든 부담이
아니라 기쁨을 주는 특권이란다. 내가 생명의 길을 너
에게 보이리니 나의 앞에는 충만한 기쁨이 있고, 나의
오른쪽에는 영원한 즐거움이 있단다.

너희는 가만히 있어 내가 하나님 됨을 알지어다
내가 뭇 나라 중에서 높임을 받으리라
내가 세계 중에서 높임을 받으리라(시 46:10).

■ ■ ■ ■ ■

내가 너를 위해 하루를 준비하는 동안 내 날개 아래서 편히 쉬어라. 네가 굳은 믿음의 자세로 나를 기다리는 동안 내 영광의 빛이 너를 비춰 준다. 나를 신뢰하는 일은 수동적인 면과 능동적인 면이 있는데, 앞서 설명한 것은 수동적인 신뢰다. 능동적인 신뢰는 살면서 만나는 수많은 고난에 적극적으로 참여함으로 너의 굳은 신뢰를 보여 주는 것을 말한다.

내가 너와 함께하니 두려워 마라. 계획에 지나치게 집착하면 두려움이 몰려든단다. 게다가 그런 태도는 나와의 친밀함을 방해한단다. 너의 계획은 버리고 나의 계획을 따르라. 지금 이 순간 언제나 너를 기다리는 내 임재로 돌아와라. 나는 결코 정죄하지 않고 너를 다시 품에 안는단다.

믿음의 주요 또 온전하게 하시는 이인 예수를 바라보자
그는 그 앞에 있는 기쁨을 위하여 십자가를 참으사
부끄러움을 개의치 아니하시더니
하나님 보좌 우편에 앉으셨느니라(히 12:2).

■ ■ ■ ■ ■ ■

오늘을 사는 동안 나에게 초점을 맞춰라. 발레리나
가 회전할 때 몸의 균형을 유지하기 위해 미리 정한
한 곳에 시선을 고정해야 하듯이, 너도 내게 맞춘 초
점에서 흔들리지 마라.

환경은 변하고 세상은 네 주위에서 빙그르르 돌며
혼란스럽기만 하지. 균형을 놓치지 않는 유일한 방법
은 항상 한결같은 나를 바라보는 것이란다. 네가 처한
환경에 너무 오랫동안 집중하면 어지럽고 혼란스럽단
다. 나를 바라보며 내 임재 속에서 새롭게 됨을 받으
면 너의 걸음은 한결같고 안정될 거란다.

그러므로 우리가 낙심하지 아니하노니
우리의 겉사람은 낡아지나 우리의 속사람은
날로 새로워지도다(고후 4:16).

네 앞에 닥친 문제는 네 관점을 변화시키는 기회다. 내 자녀들은 자신을 방해하는 문제를 맞닥뜨리기 전까지는 몽유병을 앓듯이 헤매곤 한단다. 당장 해결할 방도가 없는 문제에 부딪힐 때 어떻게 반응하느냐에 따라 너는 한껏 고무되기도 하고 침체되기도 한다. 더러는 혼란에 빠져 왜 너에게 그런 고난이 닥쳤는지 화를 내고 자신을 측은히 여길 수 있다.

이와 달리 문제를 사다리 삼아 내 관점에서 문제를 바라보는 계기로 만들 수도 있다. 높은 곳에서 내려다보면 너를 좌절하게 만드는 장애물은 그리 높지 않고, 잠시 받는 문제에 불과하단다. 관점이 높아지면 문제에서 눈길을 돌릴 수 있단다. 나아가 오직 나만을 바라면 너를 비추는 내 얼굴을 보게 될 거란다.

피곤한 자에게는 능력을 주시며
무능한 자에게는 힘을 더하시나니(사 40:29).

■ ■ ■ ■ ■

손을 높이 들고 마음을 활짝 열고 내게로 와서 풍성
한 복을 받아라. 네 바람이 얼마나 깊은지, 네 필요가
얼마나 많은지 안다. 인생길이 너무 험난해서 너는 힘
이 다 빠져 있구나. 이제 내게 와서 채워 달라고 간구
해라. 그러면 내 임재로 너를 가득 채워 주마. 내가 네
안에 그리고 네가 내 안에 있다.

내 능력은 내가 필요함을 인식하는 자들에게 자유롭
게 흘러든단다. 나를 의지하면서 조심스럽게 내딛는
걸음걸이는 믿음이 부족해서가 아니다. 이는 네 안에
나를 받아들이는 연결 통로가 된단다.

여호와의 인자와 긍휼이 무궁하시므로
우리가 진멸되지 아니함이니이다
이것들이 아침마다 새로우니
주의 성실하심이 크시도소이다 (애 3:22-23).

■ ■ ■ ■ ■ ■

앞으로 펼쳐진 네 삶은 순간순간이 선택의 연속이
다. 때마다 선택하는 일이 짐짓 어렵게 느껴질 수도
있다. 아무 염려 마라. 다시금 네 마음을 추슬러 내게
로 나아오렴. 내가 가까이서 앞으로 일어날 일을 대비
해 너를 사랑으로 준비시켜 주마.

한 번에 한 가지씩 선택해야 하는 이유는 각 선택이
앞서 내린 결정의 결과에 따라 달라지기 때문이다. 이
하루를 사는 동안 네가 걸을 길의 정신적인 지도를 미
리 만들려고 하지 말고 너와 함께하는 내 임재에 집중
해라. 그렇게 사는 동안 나는 너를 준비시켜 어떤 일
이 생기든지 대처할 수 있도록 한다. 필요한 때, 필요
한 것을 너에게 공급하는 나를 신뢰해라.

그러므로 우리가 흔들리지 않는 나라를 받았은즉
은혜를 받자 이로 말미암아 경건함과 두려움으로
하나님을 기쁘시게 섬길지니(히 12:28).

■ ■ ■ ■ ■ ■

나는 너에게 감사를 가르치고자 한다. 감사는 네 모든 소유는 물론이요, 너의 너 됨까지도 내게 속했음을 깨닫는 데서 출발한다. 새로운 하루가 내가 주는 선물이니 당연한 일로 받아들여서는 안 된다. 이 땅은 나의 복으로 활기차게 살아 움직임으로 나의 임재를 생생하게 증명한다. 네 삶의 속도를 늦추면 어디서든 나를 발견할 수 있다.

나의 가장 귀한 자녀 가운데에는 병상에 누워 세상에서 잊힌 자, 감옥에 갇혀 바깥 세계와 격리된 자도 있다. 물론 스스로 나와 함께 시간을 보내는 원리를 배운 자들도 있지. 감사의 비밀은 모든 일을 내 시각으로 바라보는 데 있단다. 세상은 너에게 학교 교실과 같단다. 내 말은 네 발의 등이요, 네 길에 빛이다.

나에게 이르시기를 내 은혜가 네게 족하도다
이는 내 능력이 약한 데서 온전하여짐이라 하신지라
그러므로 도리어 크게 기뻐함으로
나의 여러 약한 것들에 대하여 자랑하리니
이는 그리스도의 능력이 내게 머물게 하려 함이라(고후 12:9).

■ ■ ■ ■ ■

시간, 힘, 돈과 같은 기본적인 필요가 부족하거든 축복으로 여겨라. 바로 그 필요가 나를 꼭 붙잡게 해 네가 부끄러운 것에 의존하지 않게 하지 않느냐. 하루를 살기에 여러 자원이 부족하다면, 네 모든 노력을 현재 순간에 집중해야 한다. 네 삶은 이 순간, 바로 현재를 살게끔 계획되었으며, 그곳에서 내가 너를 기다린단다. 네가 가진 자원이 부족하다는 점을 깨닫는 것은 복된 일이다. 네가 내게 전심을 다해 의지하도록 하기 때문이지.

자기 만족은 일시적인 성공이 가져다주는 거짓 신화에 불과하다. 건강과 부는 생명과 마찬가지로 언제라도 사라질 수 있단다. 그러므로 네 부족함을 기뻐하며 내 능력이 약한 데서 온전해짐을 굳게 믿고 의지해라.

어둠과 죽음의 그늘에 앉은 자에게 비치고
우리 발을 평강의 길로 인도하시리로다(눅 1:79).

■ ■ ■ ■ ■ ■

우리 인생은 '지금 여기'의 연속으로 이루어져 있다. 많은 사람들은 손가락 틈새로 물 빠져나가듯 일상의 시간을 낭비하지. 미래를 걱정하거나 지금보다, 여기보다 더 나은 시간과 장소를 기대하면서 현재를 회피하곤 한다. 자신들이 시간과 장소에 어쩔 수 없이 제한을 받는 피조물이라는 점을 잊는다. 그렇게 오직 '지금 여기'에만 함께 동행하는, 자신들을 지은 창조주를 기억하지 못하지.

나와 친밀한 교제를 누리는 이의 하루에는 나의 영광스러운 임재가 생생히 나타난단다. 나와 열정적으로 교제하노라면 세상일을 걱정할 시간 따위는 도무지 없음을 깨닫게 될 거다. 그렇게 해서 내 영이 너의 걸음을 인도해 평안의 길을 걷도록 하는 자유를 얻는 거란다.

사람을 두려워하면 올무에 걸리게 되거니와
여호와를 의지하는 자는 안전하리라(잠 29:25).

■ ■ ▪ ▫ ▫

나를 의지해 살면 풍성한 삶을 누릴 수 있다. 힘든 일을 겪고 나면 감사가 넘치는데, 이는 고난을 지나 오면서 내 임재를 깨닫기 때문이다. 끔찍한 일을 겪으면 나와 더욱 친밀해지고, 지쳐 쓰러질 것 같을 때는 내가 너의 힘이 됨을 기억하고 내게 의지한다.

그러다가도 사람들과 어울리다 보면 나를 까맣게 잊고, 마음의 중심에서도 나를 밀어낸다. '남들이 날 싫어하면 어쩌나?' 하고 자꾸만 두려워하다 보면, 그들이 네 마음 중심을 꿰차는 거다. 너에게 이 같은 일이 벌어질라치면 곧장 내 이름을 부르렴. 그러면 네 의식의 최전방인 내가 속한 곳으로 너를 끌어내 주겠다. 나와 가까이 머무는 복을 받으면 내 생명이 너를 통해 다른 사람들에게 흘러간다. 이것이 풍성한 삶이다!

한 사람이 두 주인을 섬기지 못할 것이니
혹 이를 미워하고 저를 사랑하거나
혹 이를 중히 여기고 저를 경히 여김이라
너희가 하나님과 재물을 겸하여 섬기지 못하느니라(마 6:24).

■ ■ □ ■ □ ■

두 주인을 섬길 수는 없다. 진심으로 나를 주라 고백
하는 자는 다른 어떤 이보다 나를 기쁘게 하기를 원할
거다. 사람들을 기쁘게 하는 일을 목표로 삼았다면 너
는 그들의 노예가 된 것이다. 또 사람들에게 주인이
될 수 있는 권한을 넘겨 주면 그들은 가혹하게 주인
노릇을 한다.

나를 네 삶의 주인으로 모셔 들여라. 네가 나를 섬기
는 것은, 내가 너를 누구보다 크고 깊이 사랑하기 때
문이다. 내 앞에서 더 낮아질수록 나와의 관계는 친밀
해지고, 더불어 내가 너를 높여 줄 것이다. 마음 중심
에 나를 영접하고 사는 기쁨을 능가할 기쁨은 아무것
도 없단다. 갈수록 나와 더욱 친밀한 교제를 나누면서
얻는 기쁨이 네 삶을 통해 나타났으면 좋겠구나.

여호와께 그의 이름에 합당한 영광을 돌리며
거룩한 옷을 입고 여호와께 예배할지어다(시 29:2).

■■·■■■

고요한 아침, 땅이 내 임재의 이슬로 싱그러울 때 나
를 만나렴. 거룩한 옷을 입고 즐거움으로 예배해라.
거룩한 내 이름을 노래해라. 나에게 헌신하면 네 안에
내 영이 깃들고, 나아가 내 영이 충만하여 차고 넘친
단다.

세상에서 부자라 일컫는 사람들은 손아귀에 잡고 놓
지를 않지. 하지만 내가 주는 복을 받으려면 손을 활
짝 펼쳐 헌신해야 한단다. 나와 내 길에 더욱 헌신하
면 표현할 수 없는 하늘의 기쁨으로 너를 더욱 채울
거란다.

우리가 감사함으로 그 앞에 나아가며
시를 지어 즐거이 그를 노래하자(시 95:2).

■■■■■

너의 모든 필요를 내게 와서 구해라. 내 영으로 충만
하여 내게 감사를 올리면 기꺼이 내 보물창고를 열어
주마. 너에게 감사가 넘치는 것은 내가 선하다는 핵심
진리를 굳게 믿기 때문이다.

나는 빛이다. 나에게는 어둠이 조금도 없다. 내가 완
전히 선하다는 믿음이 있어 너는 모든 두려움을 떨치
고 평온을 누릴 수 있는 거다. 네 인생은 죄로 얼룩진
우상의 변덕에 조금도 영향을 받지 않는다.

너의 삶을 다스리는 하나님은 전적으로 신뢰할 만한
분이니 편히 쉬어라. 믿음으로 기대하며 내게로 와라.
너에게 필요한 것 가운데 내가 줄 수 없는 것은 아무
것도 없다.

우리가 주목하는 것은 보이는 것이 아니요
보이지 않는 것이니 보이는 것은 잠깐이요
보이지 않는 것은 영원함이라(고후 4:18).

■ ■ ■ ■ ■

이 땅에서의 삶에서 안정감을 추구하지 마라. 너는
삶을 통제하기 위해 해야 할 일 목록을 만들고 그 일
들을 하나씩 완수해 간다. 그렇게 하면서 마음의 평안
을 찾지. 그러나 열심히 일하면 할수록 세상의 할 일
목록은 점점 더 길어지기만 하고, 결국 너는 어느 순
간 좌절하게 된다.

이 땅의 삶에서 안정감을 추구하는 더 나은 방법을
알려 주마. 할 일의 목록을 꼼꼼히 살피는 대신, 너와
함께하는 내 임재에 초점을 두렴. 나와 친밀한 교제를
이어 감으로 참 평안을 누리렴. 그러면 중요한 일과
그렇지 않은 일, 해야 할 일과 하지 않아도 되는 일을
구분하도록 내가 너에게 지혜를 준단다. 두 눈으로 또
렷이 볼 수 있는 세상 환경에 의존하지 말고, 보이지
는 않지만 네 안의 내 영에게 모든 것을 맡겨라.

당신들은 나를 해하려 하였으나 하나님은 그것을
선으로 바꾸사 오늘과 같이 많은 백성의 생명을
구원하게 하시려 하셨나니(창 50:20).

■ ■ ■ ■ ■ ■

나를 굳게 믿고 나에게 너를 온전히 의뢰하면 그 무
엇도 내 평안에서 너를 떼어낼 수 없다. 시험이 닥쳐
고통스럽더라도 네가 잘 참고 견디면, 그것이 너에게
선하게 쓰임 받아 나를 신뢰하도록 너를 단련한단다.
나아가 네 인내에 사탄은 좌절하고, 너는 더욱 풍성한
은혜를 누리게 된다. 창세기의 요셉이 고난을 인내하
고, 마침내 그 모든 것을 선으로 바꾸신 하나님을 확
증하지 않았더냐.

오늘이나 혹은 다른 날에 일어날 일을 두려워하지
마라. 모든 일에 나를 신뢰하며 두려움을 떨쳐 버리
렴. 나는 늘 너와 동행하며, 뿐만 아니라 미리 앞서 가
는 하나님을 기억해라. 또한 네가 만나는 모든 상황
가운데 선한 일을 끌어낼 것이니 참으로 두려워 마라.

이는 나 여호와 너의 하나님이
네 오른손을 붙들고 네게 이르기를 두려워하지 말라
내가 너를 도우리라 할 것임이니라(사 41:13).

■ ■ □ □ □ ■

인생에서 문제가 사라지기를 고대하지 마라. 세상에
서는 네가 환난을 당하기 때문이다. 그러나 너에게는
아무 문제도 없는 천국에서의 삶이 영원토록 약속되
어 있지 않느냐. 이 유산은 어느 누구도 너에게서 빼
앗지 못한다.

오늘 불쑥 찾아들 문제 때문에 두렵다면, 그것이 무
엇이든지 간에 담대히 맞설 용기를 달라고 내게 기도
해라. 내가 갖출 최선의 준비는 살아 있는 나의 임재
이며, 나는 네 오른손을 붙들고 결코 놓지 않는단다.
모든 일을 나와 상의하렴. 어떤 문제든 낙관적인 관점
으로 바라보고, 어떤 문제든 너와 내가 함께 해결할
수 있는 도전으로 여겨라. 나는 네 편이다. 내가 세상
을 이기지 않았더냐.

오직 나는 여호와를 우러러보며
나를 구원하시는 하나님을 바라보나니
나의 하나님이 나에게 귀를 기울이시리로다(미 7:7).

■■·■·■·■

네 자신을 몰아세우지 마라. 나는 네 실수에서도 선을 이끌어 낸단다. 너는 이미 벌어진 일을 두고 '내가 왜 그랬을까?' 하고 자꾸만 후회하지. 그건 시간 낭비요, 좌절하는 지름길이란다. 과거 속에서 버둥거리지 말고 너의 실수를 내게 내려놓아라. 나를 신뢰하면 무한한 나의 창조성이 선한 선택뿐 아니라, 잘못 선택해 생긴 실수까지도 엮어 멋진 무늬를 만들어 준다.

너는 인간이기에 계속 실수를 저지른다. 실수 없는 삶을 살아야 한다는 생각은 교만의 표현이지. 실수는 복의 근원이 된단다. 너를 겸손하게 해 약점을 가진 다른 이들을 이해할 수 있게 하니 말이다. 또한 무엇보다 실수는 너를 내게 더욱더 의존하게 해주지. 네가 저지른 실수의 늪에서도 아름다움을 끌어내 주마. 나를 신뢰하고 내가 행할 일에 주목하렴.

범사에 우리 주 예수 그리스도의 이름으로
항상 아버지 하나님께 감사하며(엡 5:20).

■ ■ ■ ■ ■ ■

문제에 혼자 맞서거나 무조건 도망치려 하지 마라.
문제는 너에게 이로움을 주고 너를 성장시키기 위해
내가 맞춤 재단한 축복이란다. 문제는 내게 더욱 의지
할 수 있는 좋은 기회란다. 내가 너의 인생에 허락하
는 모든 환경을 기꺼이 받아들이고, 내가 그 속에서
선한 것을 이끌어냄을 신뢰하렴.

일이 주는 압박감으로 지쳐 있느냐? 스트레스를 나
를 향한 네 필요를 확인해 주는 도구로 삼아라. 이처
럼 네 필요는 너를 내게로 이끄는 선한 통로가 되어
우리 사이의 친밀감을 더한단다. 세상 일은 순간의 자
기 만족을 주지만, 나를 의존하는 삶은 내 왕국에서의
풍성한 삶을 약속한단다. 고난 속에서도 감사해야 함
은 자기 만족이라는 우상으로부터 너를 보호하기 때
문이다.

평안을 너희에게 끼치노니 곧 나의 평안을
너희에게 주노라 내가 너희에게 주는 것은
세상이 주는 것과 같지 아니하니라
너희는 마음에 근심하지도 말고
두려워하지도 말라(요 14:27).

■ ■ · ■ ■

문제로 인해 나에게 감사해라. 고난이라는 장애물이
생기거든 감사하는 마음으로 내게 나아와라. 내가 마
련해 놓은 문제 처리 방법을 보여 달라고 구하렴. 감
사는 부정적인 시각을 자유롭게 풀어 주지. 문제에 매
달리지 않고 나를 바라보면 옴짝달싹 못할 것 같던 몸
이 스르르 녹는다.

네 마음을 혼란스럽게 하는 상황 대부분은 내일의
문제를 미리 끌어와 생긴 거란다. 그래서 난 그 문제
를 오늘에서 구분해 미래의 한 시점으로 떼어놓는다.
이 미래는 너에게 감추어진 시간이란다. 문제가 빠진
자리에는 내 평안을 채워 넣는다. 이 평안은 내 임재
에서 자유로이 흘러나오지.

수고하고 무거운 짐 진 자들아
다 내게로 오라 내가 너희를 쉬게 하리라
나는 마음이 온유하고 겸손하니
나의 멍에를 메고 내게 배우라
그리하면 너희 마음이 쉼을 얻으리니(마 11:28-29).

■ ■ ■ ■ ■ ■

네 사랑이 아닌 나의 사랑을 통해 다른 사람과 관계
맺는 법을 배워라. 인간적인 사랑은 제한이 있고, 결
점투성이요, 이용하려는 의도로 가득하다. 하지만 내
사랑의 임재는 너뿐 아니라 다른 사람까지 축복할 수
있단다. 네가 가진 얼마 안 되는 사랑으로 사람들을
도우려 노력하지 말고 제한 없는 내 사랑으로 그들을
도와라.

내 귀한 자녀 중에는 도움이 필요한 사람들과 끊임
없이 만나다 자기도 모르는 사이 모든 에너지를 써 버
리고 고통스러워하는 이들이 있다. 내 임재가 주는 사
랑의 빛 속에서 평안한 쉼을 누려라. 수고하고 무거운
짐 진 자들아, 다 내게로 오라! 내가 너희를 쉬게 하리
라. 내가 너희를 채우리라.

너희 염려를 다 주께 맡기라
이는 그가 너희를 돌보심이라(벧전 5:7).

■ ■ ■ ■ ■ ■

혹독한 시련 속에서도 내게 감사해라. 무엇 하나 제
대로 되는 일이 없느냐? 이는 좋은 기회니 네가 성장
할 기회를 찾아라. 너의 염려를 능력 있는 내 손안으
로 넘기렴. 너는 내가 삶에 허락하는 사건들을 조화롭
게 조율하리라 믿느냐? 아니면 여전히 네 뜻대로 일을
처리하려고 골몰하고 있느냐? 네 목적을 이루고자 내
가 인도하지 않는 방향으로 온갖 노력을 기울인다면
네 바람은 너에게 우상이 된 거란다.

네 삶에서 내가 어찌 일하는지 주의 깊게 살펴라. 내
가까이 거함으로 나를 예배하고 범사에 감사해라.

대저 하나님의 모든 말씀은
능하지 못하심이 없느니라(눅 1:37).

■ ■ ■ ■ ■ ■

나는 전능한 하나님이다. 나는 너와 같이 약한 자를 택하여 내 목적을 이루게 한다. 약함은 너를 내 능력으로 이끌기 위해 내가 미리 계획한 것이지. 그러니 너의 한계를 두려워하지 마라. 오늘 일을 잘해낼 수 있을까 네 능력을 가늠하지 마라. 너는 단지 나와 친밀하게 교제하며, 나의 무한한 자원을 믿고 내게 의지하기만 하면 된다. 예상하지 못한 일이 벌어지더라도 공포에 사로잡힐 이유가 없다. 어떤 순간에도 내가 늘 너와 함께 있음을 기억하렴.

나는 무심한 하나님이 아니다. 네 삶에 어려운 일이 생기도록 허락했을 때는 네가 그 일을 감당하도록 내가 충분히 준비시킨단다. 내 임재 속에서 편히 쉬며 내 능력을 신뢰해라.

모든 것 위에 믿음의 방패를 가지고
이로써 능히 악한 자의 모든 불화살을 소멸하고(엡 6:16).

■■■■■■

　나와 함께 홀로 보내는 시간은 너의 행복을 위해 꼭
필요하단다. 호사도 아니며 선택 사항도 아니니, 나와
시간 보내는 일에 죄의식을 갖지 마라. 참소자 사탄은
너에게 죄의식을 갖게 하며 거기서 기쁨을 누린다. 특
히 네가 나의 임재를 즐거워할 때는 더욱 그렇단다.
사탄이 쏘아 대는 비난의 화살이 느껴진다면 너는 옳
은 길을 걷는 것이다. 믿음의 방패로 사탄에게서 스스
로를 보호해라. 네 모든 경험을 나와 이야기 나누고,
앞으로 네가 가야 할 길을 보여 달라고 나에게 구해
라. 마귀를 대적해라. 그러면 너를 피할 거다. 나를 가
까이해라. 그러면 너를 가까이하리라.

사람의 마음에는 많은 계획이 있어도
오직 여호와의 뜻만이 완전히 서리라(잠 19:21).

■ ■ ■ ■ ■

나는 너의 하나님이다! 네 영혼의 친구이자 연인이
요, 또한 왕 중의 왕으로 모든 것을 통치한다. 장래 일
을 계획하는 것은 좋은 일이다. 그러나 무엇보다 중요
한 것은 '바로 지금' 어떤 일을 할지 판단하는 일이다.
먼 훗날의 일을 살피기보다는 현재 네 앞에 있는 과제
에 집중해라. 물론 네 안의 내 영에게 집중하는 일을
잊어서는 안 된다.

지금 하는 일을 모두 마치면 내가 다음 번 할 일을
환히 보여 주겠다. 네 의지를 나에게 전적으로 맡기면
나는 한 걸음 한 걸음 너를 인도한다. 너는 이렇게 평
강의 길 위에서 내게 가까이 머문다.

나의 하나님이 그리스도 예수 안에서 영광 가운데
그 풍성한 대로 너희 모든 쓸 것을 채우시리라(빌 4:19).

■ ■ ■ ■ ■ ■

내 영의 인도로 잠잠히 묵상하며 나는 풍요의 하나
님임을 기억해라. 나에게는 결코 부족함이 없어 너에
게 차고 넘치도록 복을 준단다. 네 믿음의 분량만큼
너를 채울 거란다. 수요와 공급이 맞물려 돌아가는 세
상에서는 종종 네 필요가 채워지지 않을 때도 있지.
또 너는 부유하나 주변의 가난을 보며 왜 저들에게는
가난을 허락하셨을까 마음 아플 때도 있고 말이다.

내 공급의 풍요로움, 곧 내 영광스러운 부의 충만함
을 이해하기란 불가능하다. 하지만 나와 친밀한 교제
를 나누면 나의 넘치는 광대함에 대해 어렴풋이나마
이해할 게 될 거란다. 이렇게 살짝 들여다보는 일은
천국에서 영원히 경험할 일의 전조이지. 내 풍요 속에
서 기뻐하며, 믿음으로 행하고, 보는 것으로 행하지
마라.

이는 하늘이 땅보다 높음같이
내 길은 너희의 길보다 높으며
내 생각은 너희의 생각보다 높음이니라(사 55:9).

■■■■■■

너의 머리로 계획을 세우기 전에 먼저 내게 와서 구해라. 영과 진리로 나를 예배하며 내 영광이 너의 전 존재에 스며들도록 해라. 오늘 이 하루 동안 내가 너를 인도하여, 내가 정한 때에 나의 목적을 이룰 것임을 신뢰해라. 네가 세운 무수한 계획을 내 계획에 종속시켜라. 나는 네 삶의 모든 영역을 다스린다.

오늘 만나는 모든 도전 앞에서 너는 나를 신뢰하고, 내 길을 추구해야 한다. 습관을 좇아 맹목적인 길을 가서는 안 된다. 그렇지 않으면 내가 너를 위해 준비한 일들을 놓치고 만단다. 하늘이 땅보다 높음같이 내 길은 너의 길보다 높으며, 내 생각은 너의 생각보다 높음을 기억해라.

여호와께서 자기 백성에게 힘을 주심이여
여호와께서 자기 백성에게
평강의 복을 주시리로다(시 29:11).

■■■■■

내 날개 아래서 얼마나 안전하고 위험이 없는지 네가 알았으면 좋겠구나. 이는 정해진 사실이요, 네가 어떻게 느끼는지와는 아무런 상관이 없다. 너는 천국으로 향하는 길에 있으며 어떤 일도 목적지로 향하는 너를 막을 수 없다. 그곳에서 너는 나와 얼굴을 마주하여 볼 것이며, 네 기쁨은 세상의 어떤 기준으로도 측량할 수 없이 클 거란다.

내 임재가 보장된 약속이라고 해서 네 감정까지 좌지우지하지는 않는다. 내가 너와 함께 있음을 네가 잊어버릴 때면 너는 외롭고 두려울 것이다. 그 자리에 평안이 깃들었다면 그것은 네가 내 영을 받아들인 덕분이다. 늘 너와 함께하는 나를 의식하며 삶의 여정을 걸어라.

그가 빛 가운데 계신 것같이
우리도 빛 가운데 행하면 우리가 서로 사귐이 있고
그 아들 예수의 피가 우리를 모든 죄에서
깨끗하게 하실 것이요(요일 1:7).

■ ■ ■ ■ ■ ■

죄의 무게가 너를 짓누를 때 내게로 와라. 너의 잘못을 고백해야 하는데, 네가 말하기 전에 이미 나는 그 잘못에 대해 전부 알고 있단다. 내 임재의 빛 가운데 머물면서 용서와 정결케 함, 치유를 받아라. 너를 내 공의로 덧입혔기에 어떤 것도 내게서 너를 떨어뜨릴 수 없단다. 네가 넘어지거나 쓰러질 때에 나는 너와 함께 있어 너를 일으켜 세운다.

인간은 자신의 죄로부터 도망치려는 경향이 있어 어둠 속으로 숨으려고 한단다. 거기에서 자기 연민, 부인, 자기 의, 비난, 그리고 증오에 탐닉하지. 그러나 나는 세상의 빛이며, 나의 빛은 어둠을 몰아낸다. 내게 가까이 와서 내 빛이 너를 감싸 안으면, 어둠은 사라지고 평안이 깃든단다.

자기 아들을 아끼지 아니하시고
우리 모든 사람을 위하여 내주신 이가
어찌 그 아들과 함께 모든 것을 우리에게
주시지 아니하겠느냐(롬 8:32).

■ ■ ■ ■ ■ ■

나, 곧 우주를 지은 이가 너와 함께 있다. 다른 무엇
이 더 필요하겠느냐? 부족함이 느껴지는 것은 나와 친
밀한 관계를 맺지 않았기 때문이다. 내가 넘치는 풍성
함을 주겠다. 너는 그저 나를 믿고 모든 염려를 내려
놓아라.

너를 불안하게 하는 것은 역경 자체가 아니라, 그 일
을 바라보는 너의 생각이다. 생각은 마치 굶주린 늑대
처럼 문제로 몰려든다. 네 방식대로 일을 처리하고자
결심했기 때문에 내가 삶을 책임진다는 사실을 잊어
버린다. 유일한 해결책은 초점을 문제에서 내 임재로
바꾸는 데 있다. 네 모든 노력을 멈추고 내가 행할 일
을 바라보아라. 나는 여호와다!

예수께서 이르시되
내가 곧 길이요 진리요 생명이니
나로 말미암지 않고는 아버지께로
올 자가 없느니라(요 14:6).

■ ■ ■ ■ ■

네가 바라는 대로 일이 잘 풀리지 않을 때에도 그 상황을 순순히 받아들여라. 후회는 이내 분노로 돌변하게 마련이다. 네 모든 환경을 내가 다스린다. 내 능한 손 아래서 겸손해라. 네 인생에 내가 행하는 일을 기뻐해라. 이해할 수 없는 일에 대해서도 그리해라.

내가 곧 길이요, 진리요, 생명이다. 내 안에 네가 필요한 모든 것이 있다. 이 땅에서의 삶뿐만 아니라, 아직 오지 않은 생을 위해서도 만반의 준비를 해두었다. 세상일에 놀라 마음이 혼란스러울 때에 내게 중심을 두지 못하는 일이 없도록 해라. 시험을 만났을 때 가장 중요한 것은 어떤 상황에서도 네 시선을 나에게 고정해 두는 일이다. 내가 생각의 중심에 있으면 어떤 환경이라도 내 시각으로 볼 수 있단다.

네 시대에 평안함이 있으며
구원과 지혜와 지식이 풍성할 것이니
여호와를 경외함이 네 보배니라(사 33:6).

■ ■ □ □ ■ ■

나를 찾고자 하는 열망으로 하루를 시작해라. 네가
잠자리에서 일어나기도 전에 나는 이미 오늘 네가 걸
을 길을 예비하며 일하고 있단다. 길마다 너를 위한
보물이 준비되어 있다. 어떤 보물은 시험으로, 너를
옭아맨 이 땅의 수갑을 벗겨 주기 위해 계획한 것이란
다. 다른 보물은 내 임재를 밝히 드러내는 복으로 햇
빛, 꽃, 새, 우정, 응답받은 기도제목이 여기에 해당하
지. 죄로 부서진 이 세상을 포기하지 않았기 때문에
나는 여전히 그 안에 풍성하게 드러난단다.

오늘 하루를 사는 동안 깊은 곳에 숨겨진 보물을 찾
으렴. 이 길을 가는 내내 나를 발견하게 될 거란다.

즐겁게 소리칠 줄 아는 백성은 복이 있나니
여호와여 그들이 주의 얼굴 빛 안에서
다니리로다(시 89:15).

■ ■ ■ ■ ■ ■

네 마음을 내게 가져와 쉼을 얻고 더불어 새로워져
라. 마음의 경주를 멈추어라. 그래야 네 몸은 쉼을 얻
고 너는 다시 나를 의식할 수 있단다. 네 안의 나를 깨
닫는 일은 영의 행복을 위해 반드시 필요하단다. 나아
가 이는 영적인 생명줄과 같지.

네가 사는 이 세상에는 사실 4차원 이상이 존재한
다. 공간을 구성하는 3차원과 시간의 1차원 말고, 내
임재에 대한 개방성이라는 또 다른 차원이 있지. 네가
아직 이 땅에 사는 동안에는 천국에 대해 어렴풋이 아
는 것이 전부란다. 이것은 인류를 위해 내가 품은 태
초 계획의 일부다. 아담과 하와가 에덴 동산에서 추방
되기 전에는 나와 함께 동산을 산책했지. 나는 우리가
함께 네 마음의 정원을, 내가 영원히 거하는 그곳을
걷길 원한다.

의인은 고난이 많으나 여호와께서
그의 모든 고난에서 건지시는도다(시 34:19).

■ ■ ■ ■ ■ ■

애야, 세상은 너에게 너무 버겁단다. 마음은 이 문제
에서 저 문제로 옮겨 다니고, 생각은 불안으로 혼동스
럽다. 그러다 결국 마음 중심에서 나를 밀어내게 되
고, 네 마음은 온통 어둠이 차지하지. 나는 너를 도와
주고 싶지만, 네 자유 의지를 침해하는 일은 없다. 나
는 그저 네 마음 배경에 잠잠히 서서 내가 너와 함께
한다는 걸 기억해 주기를 기다릴 뿐이다.

네 문제에서 돌아서 나를 바라보아라. 그 즉시 네 짐
이 가벼워질 거다. 환경은 바뀌지 않을 수도 있지만,
네 짐은 우리가 함께 지는 거란다. 모든 일을 '바르게
고치려는' 네 충동은 깊고 충만하게 나와 연결되면 사
라진다. 우리는 이 하루 동안 어떤 일이 생겨도 함께
헤쳐 나갈 수 있다.

나는 알파와 오메가요 처음과 마지막이요
시작과 마침이라(계 22:13).

■ ■ ■ ■ ■ ■

무서운 속도로 변화하는 세상에서 나는 결코 변하지
않는 하나님이다. 나는 알파와 오메가요, 처음과 마지
막이요, 시작과 마침이다. 내 안에서 네가 갈망하는
안정을 찾아라.

나는 나의 완벽함을 그대로 담아 아름답게 질서 잡
힌 세상을 창조했다. 그러나 지금 이 세상은 죄와 악
의 구속 아래 매여 있다. 죄에 발목 잡힌 사람들은 불
확실성 속에서 갈팡질팡하고 말이다. 이 같은 치명적
인 위험에서 풀려나는 유일한 길은 내게 더욱 가까이
오는 것뿐이다. 내 임재 안에서는 완벽한 평안을 누리
며 불확실성에 담대히 맞설 수 있다.

오직 주 예수 그리스도로 옷 입고
정욕을 위하여 육신의 일을 도모하지 말라(롬 13:14).

■ ■ ■ ■ ■

하루를 시작할 때 내 얼굴을 구하렴. 학교로 일터로
가기 위해 옷을 입듯이 나와 대화를 나눔으로 나를 입
으렴. 그렇게 오늘 하루 만날 일에 대비하면 된단다.

'나를 입는다'는 의미는 '내 마음을 품는다'는 뜻으
로 '내 시각으로 세상 일을 바라보는 것'을 말한다. 네
안의 내 영에게 네 생각을 다스려 달라 구하려무나.
새롭게 변화되어 내가 인생길에 허락하는 모든 사람
이나 상황에 대처해 가렴. 나를 입는 선택이 오늘을
위한 최선의 방법이란다. 이로써 너와 네 주변 사람들
이 큰 기쁨과 평안을 누릴 것이다.

여호와는 위대하시니 크게 찬양할 것이라
그의 위대하심을 측량하지 못하리로다(시 145:3).

■ ■ ■ ■ ■ ■

내 임재로 너에게 기름 붓게 해주렴. 나는 만왕의 왕
이며, 만주의 주란다. 나를 가까이해라. 그러면 너를
가까이할 것이다. 내 임재가 너를 둘러싸면, 네 안에
나의 능력과 영광이 가득 찰 거란다. 나를 기뻐 예배
하면서 내가 얼마나 위대한지, 네가 얼마나 작은지 고
백하기를 바란다.

인간은 모든 일의 기준을 자신으로 삼는 경향이 있
지. 하지만 인간의 척도는 나의 장엄한 위대함에 비하
면 너무 작단다. 이런 이유로 사람들은 나를 힘입어
살면서도 나를 전혀 보지 못하는 것이란다. 내 임재의
찬란한 아름다움을 누려라. 영광스러운 나의 존재를
세상에 선포해라!

보라 처녀가 잉태하여 아들을 낳을 것이요
그의 이름은 임마누엘이라 하리라 하셨으니
이를 번역한즉 하나님이 우리와 함께
계시다 함이라(마 1:23).

■ ■ ■ ■ ■ ■

나는 너와 함께 있어 언제나 너를 지켜본단다. 나는
임마누엘이기에 내 임재는 빛나는 사랑으로 너를 감
싼다. 찬란한 축복도, 혹독한 시험도 너를 나에게서
떼어놓을 수 없다. 내 자녀 중에는 고난을 통해 나에
게 의존하는 법을 배운 이들이 있단다. 이들은 고난
속에서도 감사와 찬양을 돌림으로 마음 중심에 나를
초대한단다.

매일을 살면서 내가 너를 위해 준비한 것을 찾아라.
모든 사건은 네 필요를 위해 내가 직접 공급한 것임을
깨달아라. 이렇게 이해하면 감사가 절로 나올 거란다.
내가 주는 선물 가운데 어느 것도 거절하지 말고, 모
든 상황에서 나를 찾아라.

여호와의 눈은 온 땅을 두루 감찰하사
전심으로 자기에게 향하는 자들을 위하여
능력을 베푸시나니(대하 16:9).

■■■■■

나와 함께 보내는 시간에 서둘러서는 안 된다. 급히
서두르다 보면 온전히 나만을 묵상해야 할 시간에 세
상일이 끼어들고 만단다. 복잡하고 분주한 세상일은
모두 접고, 네 안에 나와 함께 온전히 쉴 수 있는 피난
처를 만들어라. 이처럼 나에게만 집중하라는 건 너를
축복하기 위해서란다. 다가올 하루에 대비해 너를 강
하게 준비시키기 위해서란다.

소중한 네 시간 전부를 나에게 제물로 가져와라. 그
러면 네가 선 자리마다 내 임재의 빛이 함께하고, 평
안이 넘쳐날 거란다.

평강의 주께서 친히 때마다 일마다
너희에게 평강을 주시고 주께서 너희 모든 사람과
함께하시기를 원하노라(살후 3:16).

■■■■■■

내가 주는 평안은 네 지식 너머의 일이다. 네 앞에
닥친 상황을 이해하려고 골몰해서는 이 영광스러운
선물을 받지 못한다. 네 마음을 들여다보니 생각이 제
자리에서 맴돌기만 할 뿐 결국 아무런 결론에도 도달
하지 못했구나. 네가 그러는 동안 내 평안은 네 위에
운행하며 내려앉을 곳을 찾고 있단다.

내 임재 속에 잠잠히 머물며 너의 생각을 다스려 달
라고 나를 초대하렴. 내 빛이 너의 생각과 마음에 젖
어들어 다름 아닌 내 존재 때문에 네가 환히 빛나도록
하렴. 이 방법이 내 평안을 받는 가장 효과적인 길이
란다.

하나님의 도는 완전하고
여호와의 말씀은 순수하니
그는 자기에게 피하는 모든 자의
방패시로다(시 18:30).

■ ■ ■ ■ ■ ■

나는 네 삶의 매 순간 역사한다. 타락한 이 세상에서는 모든 일이 혼란스럽게 뒤섞인 듯 보인단다. 오늘하루도 문제가 생길 거다. 그러나 내 길은 완전하며, 이와 같은 혼란 속에서도 그러함을 신뢰해라.

오늘을 사는 동안 변함 없이 나를 의식하고, 내가 결코 너를 떠나지 않음을 기억해라. 성령이 네 걸음을인도해 불필요한 시련으로부터 널 보호할 것이요, 견디 내야 하는 일들은 잘 통과하도록 도울 것이다. 타락한 세상의 진흙탕을 터덕터덕 걷는 순간에도 네 마음은 나와 그리고 하늘의 장소에 두렴. 그러면 내 임재의 빛이 너를 비춰 환경에 좌우되지 않는 평안과 기쁨을 준다.

사랑하는 자들아 우리가 지금은
하나님의 자녀라(요일 3:2).

■■■■■■

네가 치유하는 동안 너는 나의 임재 안에서 쉬어라. 걱정과 염려를 내려놓고 내 평안을 받아라. 멈추고 내가 하나님 됨을 알아라.

수많은 율법을 만든 바리새인이 창조한 실체는 자신들만의 경건한 형식에 불과하니, 그들과 같이 되지 마라. 그들은 스스로 만든 규율에 꽁꽁 매인 나머지 나를 보지 못했단다. 오늘날도 수많은 그리스도인이 스스로 만든 율법에 휘둘리고 있단다. 그들은 중심에 나를 두지 않고 율법 실천을 두고 있단다.

나를 닮고 싶으냐? 그렇다면 나와 친밀한 교제를 나누어야 한다. 모든 염려를 내 앞에 내려놓고 쉬면서 그저 잠잠히 있으며 내가 하나님 됨을 알면 된다.

사랑 안에 두려움이 없고
온전한 사랑이 두려움을 내쫓나니
두려움에는 형벌이 있음이라
두려워하는 자는 사랑 안에서
온전히 이루지 못하였느니라(요일 4:18).

■ ■ ■ ■ ■

내가 네 전 존재의 중심이 되기를 원한다. 중심이 확고히 내게 있을 때, 나의 평안이 두려움과 걱정을 몰아내지. 한편 그 감정은 너를 떠나지 않고, 주변을 맴돌며 다시 들어올 기회만 호시탐탐 노린단다. 그러니 너는 항상 깨어 있어야 하는 거란다.

온전히 신뢰하고 그럼에도 불구하고 감사해라. 그러면 두려움이 네 안에서 발판을 다지기 전에 쫓아낼 수 있다. 너를 향한 내 사랑에는 두려움이 없고, 그 사랑은 언제나 너를 비춘단다. 찬란히 빛나는 평안으로 너에게 복주는 동안 내 사랑의 빛 안에 고요히 앉아라. 전 존재로 나를 신뢰하고 사랑해라.

내 형제들아
너희가 여러 가지 시험을 당하거든
온전히 기쁘게 여기라(약 1:2).

■■■■■■

어려운 시기는 나를 신뢰할 수 있는 기회이니 기쁘게 맞이해라. 네 곁에는 내가 있고, 네 안에는 나의 영이 있으니, 너는 능히 어떤 어려움도 이겨 낼 수 있다. 당면한 문제를 네 능력으로 해결하려 들면 불안한 감정이 너를 벌집같이 만들어 놓는단다.

이런저런 해야 할 일들이 많은 나날들, 내 손을 꼭 잡고 나와 친밀한 교제를 나누며 함께 가자꾸나. 깊이 신뢰하고, 넘치도록 감사하렴. 오늘 하루 어떤 고난이 닥치더라도 나는 너를 평강하고 평강하도록 지킬 거다. 이는 네가 내 곁에 머물기 때문이란다.

너는 나 외에는 다른 신들을
네게 두지 말라(출 20:3).

■ ■ ■ ■ ■

너는 타락한 세상, 곧 죄로 얼룩진 세상에 살고 있음
을 늘 염두에 두어야 한다. 좌절감과 실패감을 느끼는
건 네가 이 땅에서 완벽함을 추구하기 때문이란다. 이
세상에 나 말고 완벽한 것은 없다. 나와의 친밀함이
깊은 갈망을 만족시키고 너에게 기쁨을 채워 주는 이
유가 바로 여기에 있다.

내가 인간의 마음에 완벽을 향한 갈망을 심어 두었
다. 이것은 선한 갈망으로 오직 나만이 채울 수 있단
다. 그런데 너무나 많은 사람들이 다른 사람이나 세상
에서의 기쁨과 성공으로 이 갈망을 채우려 드는구나.
그래서 우상을 만들어 고개 숙여 숭배하지. 나 외에는
다른 신들을 너에게 두어서는 안 된다. 완벽을 추구하
는 네 갈망은 내가 채울 거란다.

하늘이 하나님의 영광을 선포하고
궁창이 그의 손으로 하신 일을 나타내는도다(시 19:1).

■■■■■■

내 얼굴을 구하면 너의 가장 깊은 갈망을 채워 주겠
다. 내가 지은 세상의 아름다운 것들을 통해 나를 보
고, 또 내가 함께함을 떠올릴 때가 많지 않느냐? 이처
럼 세상은 여전히 나의 영광을 선포함으로 볼 눈이 있
는 자에게는 나타내고, 들을 귀 있는 자에게는 들려준
단다.

하지만 그러기 위해서는 나를 전심으로 찾아야 한단
다. 그 전에는 마음 가득 어둠뿐이란다. 또 네가 다른
이들에게 햇불 같은 존재가 될 수 있었던 것은 내가
너를 택하여 빛을 네 속에 부어 주었기 때문이란다.
그러니 교만은 버리고 네 말과 행동으로 나의 영광을
드러내야 한다.

다만 너희는 그의 나라를 구하라
그리하면 이런 것들을 너희에게 더하시리라(눅 12:31).

■ ■ ■ ■ ■

마치 빛으로 만들어진 고치처럼 나는 너를 둘러싸고
있단다. 네가 미처 깨닫지 못하더라도 이 사실은 변하
지 않는단다. 오히려 세상에는 네가 나를 의식하지 못
하도록 방해하는 일이 참 많다. 그 가운데 주범은 바
로 걱정이란다. 걱정을 마치 삶에서 피할 수 없는 기
정 사실인 양 받아들이는데, 걱정은 불신의 한 형태일
뿐 충분히 털어낼 수 있단다.

너의 삶을 누가 책임지고 있느냐? 만약 책임자가 너
라면 염려하는 일은 당연하겠지. 하지만 책임자가 나
라면 걱정할 필요가 전혀 없다. 조금이라도 걱정이 엄
습해 오면 그 상황에 대한 소유권을 내게 넘겨라. 조
금 뒤로 물러서서 나만 바라보아라. 내가 직접 그 문
제를 해결하거나 너에게 그 문제를 어떻게 처리해야
할지 보여 주마.

예수께서 나아와 말씀하여 이르시되
하늘과 땅의 모든 권세를 내게 주셨으니(마 28:18).

■ ■ ■ ■ ■ ■

네가 전적으로 내 소유이기를, 내 임재의 빛으로 가
득 채워지기를 원한다. 인간으로 이 땅에서 살다가 너
의 죄를 대신해 죽고, 다시 부활함으로 나는 너에게
전부를 주었다. 내게는 어떤 일도 비밀로 하지 마라.
나는 네가 스스로를 아는 정도보다 더 속속들이 네 모
든 일을 안다.

그러나 나는 너를 고치고자 하는 열망을 억누르며,
네가 도움을 구하며 나오기까지 기다린단다. 하늘과
이 땅의 모든 권세를 가진 내가 이렇게 하기 위해 얼
마나 자제력을 발휘하는지 상상해 보렴. 가르침을 받
을 만반의 준비를 갖추고 내 얼굴을 구하렴. 감사로
내 임재에 나아와 변화를 사모해라.

무엇보다도 뜨겁게 서로 사랑할지니
사랑은 허다한 죄를 덮느니라(벧전 4:8).

■ ■ ■ ■ ■ ■

내 사랑 안에 살기를 구해야 할 것은 이 사랑이 허다
한 죄를, 너와 다른 사람의 죄를 덮기 때문이다. 내 사
랑을 빛으로 만들어진 외투처럼 입어 머리에서 발끝
까지 덮어라. 두려워하지 마라. 온전한 사랑은 두려움
을 내쫓는다. 다른 사람을 사랑으로 대하는 것은, 내
시각으로 그들을 보는 일과 같다. 그런 네 모습이 나
는 참 기쁘구나.

내 몸 된 믿음의 지체가 내 임재의 빛으로 찬란하게
빛났으면 좋겠구나. 자그마한 어둠 때문에라도 내 사
랑의 빛이 희미해지는 것이 나는 슬프단다. 내게로,
너의 첫사랑에게로 돌아오려무나. 장엄한 거룩함 속
에 거하는 나를 바라보려무나. 그러면 내 사랑이 다시
한 번 너를 빛으로 감쌀 거란다.

나의 영혼아 잠잠히 하나님만 바라라
무릇 나의 소망이 그로부터 나오는도다(시 62:5).

■ ■ ■ ■ ■ ■

내 속에서 쉬렴. 앞서 계획하고 다음에 일어날 일을
예상하느라 너무 지쳐 있구나. 그보다는 항상 기도함
으로 내 영에게 하루의 세밀한 부분까지도 다스려 달
라 구해라. 네 인생 여정에 내가 함께하지 않느냐. 앞
으로 일어날 모든 가능성에 대비해 계획을 세우는 것
은 순간순간 너를 지탱해 주는 변함없는 동반자인 나
를 무시하는 거란다. 불안해하면서 먼 곳을 응시할 때
는 네 손을 잡은 나의 강한 손을 느낄 수 없단다. 내 딸
아, 내 아들아, 이 얼마나 어리석은 행동이냐.

나를 기억하는 일은 매일매일 해야 하는 훈련이다.
너와 함께하는 내 임재에서 결코 시선을 떼지 마라.
그렇게 할 때 비로소 너에게 온 종일, 그리고 매일 평
안이 깃들 거란다.

육신의 생각은 사망이요
영의 생각은 생명과 평안이니라(롬 8:6).

■ ■ ■ ■ ■ ■

나를 신뢰하고 두려워하지 마라. 나는 너의 힘이며 노래라. 두려워하느라 에너지를 소진하는 일이 없도록 해라. 대신 나를 신뢰하고 나를 찬양하는 데 에너지를 쏟아라. 네 마음을 다스리는 이 전투가 얼마나 치열한지 다 안다. 게다가 수년 동안 염려에 시달려 온 터라 너는 적에게 취약하다. 그러니 너의 생각을 지키는 일에 조금도 방심해서는 안 된다.

네 안에 사는 나의 영은 이 투쟁에서 너를 도울 만반의 준비가 되어 있단다. 그에게 마음을 다스려 달라고 구하려무나. 그러면 그가 생명과 평안으로 너에게 복을 줄 것이다.

그들 가운데 어떤 사람들이 원망하다가
멸망시키는 자에게 멸망하였나니
너희는 그들과 같이 원망하지 말라(고전 10:10).

■ ■ ■ ■ ■

네가 오늘을 살아내도록 내가 도와주마. 아침에 일어나 밤에 잠자리에 들 때까지 네가 걷는 모든 길이 선택의 연속이지. 그 선택의 순간마다 늘 깨어 있어 네 안에 있는 나를 인식했으면 좋겠구나. 이 하루의 시간은 어떤 식으로든 흘러간다. 걸핏하면 투덜대며 마지못해 질질 끌려가듯 살 수도 있다. 하지만 애야, 더 나은 방법이 있단다. 나와 함께 평안의 길을 걷기로 선택하고 내게 의지하는 거다. 물론 나와 같이 가는 길이라도 여전히 어려움은 있겠지만, 내 능력을 확신하며 고난을 담대히 마주할 수 있지. 너는 어려움을 만날 때마다 내게 감사하고 내가 이 시험들을 어떻게 축복으로 변화시키는지 지켜보아라.

바람이 임의로 불매 네가 그 소리는 들어도
어디서 와서 어디로 가는지 알지 못하나니
성령으로 난 사람도 다 그러하니라(요 3:8).

■ ■ ■ ■ ■ ■

네 안에 새로운 것을 내가 창조하니, 곧 네 안에서
펑펑 솟아나는 기쁨이 다른 이들의 삶으로 흘러넘치
는구나. 단, 이 기쁨을 네 것이라고 착각해 그 공을 자
신에게 돌리지 않도록 조심해야 한단다. 너는 그저 내
영이 네 안에서 흘러나와 다른 사람들을 축복하는 일
을 기쁘게 바라보았으면 좋겠구나. 성령의 열매를 다
른 이에게 흘려 보내는 저수지가 되어 보렴.

네가 할 일은 내 곁에 가까이 살면서, 내가 네 안에
행하는 모든 일에 열린 태도로 임하는 거란다. 네 안
에 있는 성령의 움직임을 통제하려고 하지 말고, 성령
에게 모든 것을 맡기렴. 내 임재를 즐거워하면 사랑과
희락과 평안이 너의 존재에 스며든단다.

너희는 택하신 족속이요 왕 같은 제사장들이요
거룩한 나라요 그의 소유가 된 백성이니
이는 너희를 어두운 데서 불러내어
그의 기이한 빛에 들어가게 하신 이의 아름다운 덕을
선포하게 하려 하심이라(벧전 2:9).

■ ■ ■ ■ ■

　나는 영원한 사랑으로 너를 사랑해 왔다. 시간이 시작하기도 전에 너를 알았지. 수년 간 너는 아무런 목적도, 가치도 없는 곳에서 사랑과 희망을 찾아 헤맸다. 그 긴 시간 동안 나는 너를 좇았고, 내 사랑의 팔로 너를 안고자 갈망했단다.

　때가 찼을 때 너에게 나를 나타냈지. 절망의 바다에서 너를 건져 견고한 반석 위에 올려놓았다. 때로 너는 벌거벗은 채 모든 것을 밝히 드러내는 내 빛에 노출된 것처럼 느끼기도 하지. 나는 너에게 그 무엇보다 귀한 나의 공의의 겉옷을 덮어 준다. 너를 향한 사랑을 노래하지만 그 시작과 끝은 영원 속에 감추어져 있단다. 의미는 너의 생각 속에, 조화는 너의 마음에 넣어 두었다. 나와 함께 내 노래를 부르자꾸나.

나 곧 내 영혼은 여호와를 기다리며
나는 주의 말씀을 바라는도다(시 130:5).

■ ■ ■ ■ ■

고요함 속에서 나를 신뢰하며 내게 나올 때 너는 강해진다. 너는 고요한 가운데 침묵을 지키며 보이지 않는 것을 볼 수 있어야 한다. 나는 눈에 보이지 않는단다. 그러니 감각에 의지해 나를 보려 노력하는 것은 헛될 뿐이지. 이 세대는 감각적인 자극을 지나치게 추구하기 때문에 보이지 않는 세계에 대한 인식을 막아 버린단다.

눈에 보이는 이 세계는 여전히 내 영광을 드러내 볼 수 있는 눈과 들을 수 있는 귀를 가진 자에게 알린단다. 나와 너, 단 둘이만 보내는 교제의 시간은 눈과 귀를 열어 주는 최고의 방법이지. 그렇게 해서 가시 세계의 삶을 사는 동안에도 보이지 않는 대상을 인식하게 된단다.

사람아 주께서 선한 것이 무엇임을 네게 보이셨나니
여호와께서 네게 구하시는 것은
오직 정의를 행하며 인자를 사랑하며
겸손하게 네 하나님과 함께 행하는 것이 아니냐(미 6:8).

■ ■ ■ ■ ■

나와 함께 높은 길에 머물러라. 너의 관심을 끌기 위
해 크게 떠드는 많은 소리가 자꾸만 너를 유혹하지.
하지만 나는 네가 내 가까이 걸으면서 내가 주는 평안
안에서 살도록 너를 불렀단다. 이것은 세상이 시작하
기 전에 너를 위해 내가 세운 계획이란다.

나는 내 자녀들을 각각 다른 길로 불렀으며, 각 사람
의 길을 개인별로 명확히 계획했단다. 그러니 자신의
길만이 옳다는 다른 사람의 설득에 넘어가서는 안 된
다. 또한 네 길이 다른 사람의 길보다 월등하다며 자
부해서도 안 된다. 나는 네가 오직 정의를 행하며 인
자를 사랑하며 겸손하게 나와 함께 행하기를 바랄 뿐
이다. 내가 인도하는 곳은 어디든 함께 가자꾸나.

능력과 존귀로 옷을 삼고
후일을 웃으며(잠 31:25).

■ ■ ■ ■ ■

좀 더 자유롭게 너 자신을 웃어넘길 수 있는 여유를
배워라. 스스로에 대해서나 처한 환경을 너무 심각하
게 받아들이지 마라. 편히 쉬면서 내가 너와 함께 있
는 하나님임을 깨닫도록 하렴. 내가 맡은 바 책임을
다하는지 감시하려는 태도는 옳지 않단다. 내 일은 네
가 통제할 영역이 아니란다.

웃음은 너의 짐을 가볍게 하고, 너의 마음을 천상의
장소로 이끈단다. 부모가 자녀의 웃음소리에 기뻐하
듯이 나 또한 네 웃음소리가 기쁘단다. 네 어깨 위에
짊어진 세상 짐이 무거워 내가 주는 기쁨을 놓치지 마
라. 오히려 나의 멍에를 메고 내게 배워라. 내 멍에는
쉽고 내 짐은 가벼움이라.

사람이 마음으로 자기의 길을 계획할지라도
그의 걸음을 인도하시는 이는 여호와시니라(잠 16:9).

■■■■■■

너는 내 사랑하는 자녀라. 창세 전에 너를 택했으니
이는 오직 너만을 위해 계획한 길을 나와 함께 걷도록
하기 위해서다. 나와 함께 호흡을 맞추는 데 집중하
고, 너를 위한 내 계획을 미리 예측하려고 하지 마라.
너를 향한 나의 생각이 평안이요, 재앙이 아닌 것을
신뢰한다면 편히 쉬며 지금 이 순간을 누릴 수 있다.

너의 미래는 천상에 있고, 그곳에는 영원한 기쁨이
기다리고 있단다. 상상할 수 없을 정도의 부와 행복이
라는 이 유산을 그 누구도 빼앗을 수 없다. 때로 이 영
광스러운 미래를 살짝 보여 주어 너에게 용기를 북돋
우고 격려하기도 하지. 하지만 너의 주된 관심은 내
곁에 가까이 머무는 일이어야 한다. 네 필요와 내 목
적에 알맞은 속도는 내가 정하마.

그러나 주께 피하는 모든 사람은 다 기뻐하며
주의 보호로 말미암아 영원히 기뻐 외치고
주의 이름을 사랑하는 자들은
주를 즐거워하리이다(시 5:11).

■■■■■■

나는 견고한 토대이기에 그 위에서 춤추고 노래하며
나의 임재를 축하할 수 있다. 이것이 너를 향한 나의
높고 거룩한 부름이니 소중한 선물로 받아라. 나를 영
화롭게 하고 기뻐하는 일이 정돈된 삶을 유지하는 것
보다 먼저란다. 모든 일을 통제하려고 애쓰지 마라.
이는 불가능할 뿐더러 너의 소중한 에너지를 낭비하
는 거란다.

내 자녀 한 사람 한 사람을 향한 나의 인도는 각각이
유일하다. 그러니 행복하고 싶다면 내 말에 귀를 기울
이렴. 나는 오늘 하루를 대비해 너를 준비시키고 바른
방향으로 인도한단다. 나는 언제나 너와 함께 있으니
두려움에 위축되지 마라. 두려움이 너도 모르는 새 다
가올 수는 있지만, 내 손을 붙잡는 한 너를 해칠 수 없
단다.

하늘이 하나님의 영광을 선포하고
궁창이 그의 손으로 하신 일을 나타내는도다
낮은 낮에게 말하고 밤은 밤에게
지식을 전하니(시 19:1-2).

■ ■ ■ ■ ■

나는 항상 너에게 말한다. 나의 본성을 따라 소통하지만 언제나 말로 하지는 않는단다. 하늘을 가로지르는 영광스러운 노을을 매일매일 펼쳐 놓기도 하지. 나는 사랑하는 사람들의 얼굴과 목소리를 통해 말하기도 한다. 새 힘과 기쁨을 주는 산들바람으로 너를 어루만지기도 하지. 네 영의 깊은 곳, 내가 자리하는 그곳에서 고요히 말한다.

볼 수 있는 눈과 들을 수 있는 귀가 있다면 늘 나를 발견할 수 있다. 성령에게 영적 시력과 청력을 예민하게 해주기를 구해라. 네가 나의 임재를 발견하는 매 순간이 나에게는 기쁨이 된다. 잠잠히 묵상하며 나를 찾고, 내게 귀 기울이는 훈련을 해라. 점차 더욱 많은 순간에 나를 찾을 것이다. 온 마음으로 나를 구하면 나를 찾을 것이요, 나를 만날 수 있단다.

주 하나님이 이르시되 나는 알파와 오메가라
이제도 있고 전에도 있었고
장차 올 자요 전능한 자라 하시더라(계 1:8).

■ ■ ■ ■ ■

　너에게 복 주는 동안 나와 함께 인내하며 기다리렴.
너에게 시간은 너를 보호하기 위한 개념으로, 너는 연
약한 피조물이어서 24시간이라는 인생의 일부분만을
감당할 수 있기 때문이다. 시간은 또한 폭군과 같은
존재가 되어 마음속에서 쉴 새 없이 재깍거린다. 시간
을 다스리는 방법을 배우지 않으면 시간이 너를 다스
린다.

　네가 시간에 매인 피조물이라 하더라도 시간을 초월
해 나와 만나기를 구해라. 내 임재에 초점을 두면 시
간과 업무에 대한 요구 사항은 사라진다. 나는 너에게
복 주고, 너를 지키기 원하며, 내 얼굴을 너에게 비춰
은혜 베풀기를 원하며, 평강 주기를 원한단다.

너희 관용을 모든 사람에게 알게 하라
주께서 가까우시니라(빌 4:5).

■ ■ ■ ■ ■ ■

너를 괴롭히는 바로 그 문제로 인해 나에게 감사해라. 너는 언제라도 반역할 수 있는 존재로 금방이라도 내 얼굴을 향해 주먹을 휘두를 수 있지. 내가 너를 다루는 방식에 대해 약간 불평하는 일 정도는 마음껏 해도 된다는 유혹을 받는다. 하지만 일단 그 선을 넘으면 분노와 자기 연민의 급류가 너를 휩쓸어 버린단다. 이 일에 대항하는 최선의 방법은 감사하는 것이다. 내게 감사하면서 동시에 나를 저주하는 일은 불가능하기 때문이다.

시험 당할 때 감사하는 일은 처음에는 어색하고 인위적으로 느껴지지. 하지만 고집스럽게 감사하면 믿음으로 기도한 감사의 언어는 결국 네 마음에 차이를 가져온단다. 감사하는 마음이 나의 임재를 네가 의식할 수 있도록 깨움으로 모든 문제가 그 빛을 잃어버리게 될 거다.

하나님의 성령을 근심하게 하지 말라
그 안에서 너희가 구원의 날까지
인치심을 받았느니라(엡 4:30).

■ ■ ■ ■ ■

나의 사랑이 너에게로 흘러들어 두려움과 불신을 씻어내도록 해주렴. 신뢰로 반응한다 함은 어떤 상황을 처리하기 위한 방안을 모색할 때 네 생각에 나를 포함한다는 뜻이다. 내가 변함없이 너와 함께하리라 약속하지 않았느냐. 너를 그 어떤 일도 혼자 감당하게 두지 않는단다. 그런데도 네가 고난에 치여 이리저리 넘어지는 것은 네 안에 있는 나를 의식하지 못하기 때문이다.

네가 나를 신뢰하며 하루를 살면 힘들어하는 너를 보며 고통스러웠던 내 마음이 위안을 얻는단다. 마음이 흔들릴 때 내게로 오렴. 나는 너에게 완벽함이 아니라 끈기를 바란다.

오직 그만이 나의 반석이시요
나의 구원이시요 나의 요새이시니
내가 흔들리지 아니하리로다(시 62:6).

• • • • • •

내 손을 잡고 신뢰해라. 너와 함께하는 나의 임재를
의식하는 한 모든 일이 다 잘된다. 나와 함께 걸으면
서 넘어지기란 사실 불가능하다. 다른 무엇보다 나를
기뻐하도록 너를 지었단다. 깊은 만족감은 오직 내게
서만 찾을 수 있지.

두렵고 불안한 생각은 나와 교제하는 사이 녹아 버
린다. 나에게서 등을 돌리면, 언제나 세상에서 힘을
행사하는 어둠에 위험하게 노출된다. 내 손을 놓으면
너는 이내 죄를 짓고 만단다. 세상은 의존을 미성숙함
으로 이해하지. 그러나 내 왕국에서 나를 의존하는 일
은 성숙의 주요 기준이란다.

너의 하나님 여호와가 너의 가운데에 계시니
그는 구원을 베푸실 전능자이시라
그가 너로 말미암아 기쁨을 이기지 못하시며
너를 잠잠히 사랑하시며 너로 말미암아 즐거이 부르며
기뻐하시리라 하리라(습 3:17).

■ ■ ■ ■ ■ ■

손을 높이 들고 마음을 활짝 열어 오늘을 귀한 선물로 받아라. 매일의 일출이 찬란한 나의 임재를 알린다. 네가 잠자리에서 일어날 때 나는 이미 네 앞길의 준비를 다 마쳤단다. 네가 매일 아침 묵상의 시간을 가지고, 그때 내 길을 바라보는 일이 나는 매우 기쁘구나.

내게 올리는 감사와 나와 함께하는 풍성한 교제에 네 마음이 열린단다. 모든 복은 내게서 흘러나가며, 그런 나에게 가까이 오는 최선의 방법은 바로 감사하는 마음이란다. 찬양의 노래를 부르고, 내가 행한 경이로운 일들을 이야기해라. 나는 너로 말미암아 기쁨을 이기지 못하며, 너로 말미암아 즐거이 부르며 기뻐하리라.

내가 사망의 음침한 골짜기로 다닐지라도
해를 두려워하지 않을 것은
주께서 나와 함께하심이라
주의 지팡이와 막대기가 나를
안위하시나이다(시 23:4).

■ ■ ■ ■ ■ ■

오늘 무슨 일이 일어나든 나를 의식하며 잠잠해라.
내가 오늘 하루 너와 함께할 뿐 아니라, 너보다 앞서
감을 기억해라. 나를 놀라게 할 일은 없다. 네가 나를
의지하는 한 환경이 너를 압도하도록 허락하지 않는
다. 순간순간 무슨 일이 일어나든지 네가 대처할 수
있도록 도우마.

나와 협력하면 네 모든 환난보다 훨씬 큰 영광을 받
는다. 나의 임재를 인식하면 모든 일의 결말을 인내할
수 있는 기쁨을 얻는다.

아침에 나로 하여금 주의 인자한 말씀을 듣게 하소서
내가 주를 의뢰함이니이다 내가 다닐 길을 알게 하소서
내가 내 영혼을 주께 드림이니이다(시 143:8).

■ ■ ■ ■ ■

나와 함께 잠시 쉬어라. 너는 지금까지 가파르고 험
한 길을 여행해 왔다. 네 앞길은 불확실성으로 덮여
있다. 뒤도 돌아보지 말고, 앞을 살피지도 마라. 대신
너의 관심을 변함없는 친구인 나에게로 맞춰라. 길을
가는 동안 어떤 일이 일어나더라도 너를 준비시킨다
는 것을 믿어라.

시간이 너를 보호하도록 설계했단다. 한눈에 삶 전
체를 보는 일을 너는 감당할 수 없다. 나는 시간에 제
한적인 존재가 아니지만, 내가 너를 만나는 때는 바로
현재의 순간이다. 나와 함께 시간을 보내는 동안 새롭
게 됨을 받고, 성령의 바람을 깊이 들이마셔라. 가장
높은 수준의 신뢰는 순간순간 나를 즐거워하는 경지
란다.

너희는 여호와의 선하심을 맛보아 알지어다
그에게 피하는 자는 복이 있도다(시 34:8).

■■■■■■

나의 선함을 맛보아 알지어다. 이 명령은 살아 있는
내 임재를 경험하라는 초대를 포함한다. 약속도 포함
한다. 나를 경험할수록 내 선함을 더욱 확신하게 된다
는 뜻이다. 이 사실을 아는 지식은 믿음의 행보에 반
드시 필요하다.

역경에 처하면 인간은 본능적으로 내 선함을 의심하
지. 내 길은 신비로워서 심지어 나를 친밀히 아는 이
들도 다 이해하지 못하기 때문이다. 하늘이 땅보다 높
음같이 내 길은 너의 길보다 높으며, 내 생각은 너의
생각보다 높단다. 내 길을 헤아리려고 하지 마라. 시
간을 내어 나를 즐거워하고, 내 선함을 경험했으면 좋
겠구나.

하나님이여 주는 나의 하나님이시라
내가 간절히 주를 찾되
물이 없어 마르고 황폐한 땅에서
내 영혼이 주를 갈망하며
내 육체가 주를 앙모하나이다(시 63:1).

■ ■ ■ ■ ■

아침에 잠자리에서 일어날 때 너와 함께하는 나의
임재를 의식하렴. 이른 아침, 조용히 내 이름을 불러
네 생각 속으로 나를 초대하렴. 나를 만나기 전까지는
불안했던 마음이 환해지면서 오늘이 너에게 우호적인
듯 느껴질 것이다. 내 임재로 인해 설레는 하루는 두
려워할 수 없기 때문이다.

불안은 그릇된 질문을 하는 데서 시작된다. '만약 이
런 일이 생기면 내가 감당할 수 있을까?' 라는 질문이
여기에 해당한다. 그런 생각일랑 모두 접으렴. 네 앞
에 어떤 일이 일어나든 너와 내가 거뜬히 함께 감당할
수 있단다. 이 하루를 활기차게 직면할 수 있는 확신
은 바로 이처럼 '너와 내가 함께' 하는 데서 나온단다.

진리를 알지니

진리가 너희를 자유롭게 하리라(요 8:32).

■■■■■■

나는 진리요, 너를 자유롭게 한다. 성령이 네 마음과 행동을 전적으로 통제하면 할수록 너는 내 안에서 자유로워진다. 너는 놀랍도록 자유로워져 내가 너를 창조한 모습으로 변화하지. 네가 성령에게 순종할 때 네 안에서 행하는 일이 바로 이와 같다. 네가 온전히 나를 바라면 나는 내 일을 가장 잘 이룰 수 있단다.

내 생각이 네 의식 속에 자유롭게 솟구쳐 풍성한 삶을 자극하도록 하렴. 나는 길이요, 진리요, 생명이다. 나를 따르면 내가 너를 인도해 새로운 길을 걷게 할 거란다. 이 길은 네가 상상하지도 못한 길이다. 네 앞길에 무슨 일이 일어날지 염려하지 마라. 너의 안전은 나를, 너를 자유롭게 하기 위해 죽은 나를 아는 데 있다는 사실을 깨달았으면 좋겠구나.

하나님이여 우리가 주의 전 가운데에서
주의 인자하심을 생각하였나이다(시 48:9).

．．．．．．

나는 풍성한 생명이요 빛이라. 나와의 친밀한 교제
를 통해 힘을 얻고 마음의 위로를 얻을 수 있지. 네 어
깨를 누르는 무거운 짐을 강한 내 어깨에 맡기렴. 나
를 바라며 네 삶을 향한 나의 시각을 깨달으렴. 나하
고만 보내는 이 시간은 생각을 정리하고, 네 앞에 펼
쳐진 하루를 평탄하게 하기 위해 꼭 필요하단다.

나와 보내는 이 소중한 시간을 지키기 위해 싸움도
무릅써야 한다. 공격의 형태는 다양하다. 좀 더 누워
있고 싶은 욕구, 나에게서 너를 미혹하려는 사탄의 결
단, 시간을 좀 더 생산적으로 보내라고 하는 가족이나
친구의 압박 등 끝이 없지. 공격을 이기는 최선은 나
를 기쁘게 하고자 하는 열망이란다. 나를 기뻐해라.
내가 네 마음의 소원을 너에게 이루어 줄 것이다.

여호와여 아침에 주께서 나의 소리를 들으시리니
아침에 내가 주께 기도하고 바라리이다(시 5:3).

■■■■■■

너를 위해 준비한 길을 오늘 보여 주고 싶구나. 내가
끊임없이 너를 인도하기 때문에 네가 고요한 가운데
안식하며 나의 존재를 느낄 수 있는 거란다. 네가 잘
사는 것이 내 계획이며, 나는 그 삶을 만들어 가는 예
술가란다.

신성한 예술가인 나와 가까이 머무는 일에 집중하
렴. 또 네 삶에서 내가 나의 길을 이루어 갈 때 나를 신
뢰하도록 사고를 훈련해라. 모든 일에 대해 기도하고,
그 결과는 내게 맡겨라. 내 뜻을 두려워하지 마라. 이
를 통해 너에게 가장 좋은 바를 이루기 때문이다. 크
게 숨을 들이마시고 나를 향한 절대적인 신뢰 속으로
깊이 뛰어들어라. 영원한 팔이 그 아래에 있단다.

비판하지 말라 그리하면 너희가 비판을 받지 않을 것이요
정죄하지 말라 그리하면 너희가 정죄를 받지 않을 것이요
용서하라 그리하면 너희가 용서를 받을 것이요(눅 6:37).

■■■■■■

내 자녀들은 서로서로, 그리고 스스로를 정죄하는
놀이를 하는구나. 하지만 나만이 능력 있는 판사이며,
그런 내가 내 피로 네 죗값을 치렀다. 네가 받은 무죄
선고는 비할 수 없는 내 희생으로 대가를 치른 결과
다. 바로 이런 이유로 내 자녀가 서로를 정죄할 때나
자기 혐오에 빠지면 마음이 너무 아프단다.

나와 가까이 살면서 내 말을 받아들이면 성령이 필
요대로 너를 인도하고 바로잡는다. 내 안에 있는 자를
정죄하는 일은 결코 없단다.

감사함으로 그의 문에 들어가며
찬송함으로 그의 궁정에 들어가서 그에게 감사하며
그의 이름을 송축할지어다(시 100:4).

■ ■ ■ ■ ■

영과 진리로 예배할 때 너는 내 왕좌 앞에 거하는 천
사들 무리에 합류한단다. 네 귀에는 이들의 목소리가
들리지 않을 테지만, 너의 찬양과 감사는 하늘에서 또
렷하게 울려 퍼진단다. 간구 또한 내 귀에 들리지만
무엇보다도 네가 감사할 때 내 마음에 이르는 길이 말
끔히 치워진다. 너와 나 사이에 활짝 길이 열리면 나
의 축복은 너에게로 풍성하게 깃들지.

가장 큰 복은 내 곁에 가까이 머물러 내 임재의 풍성
한 기쁨과 평안을 누리는 일이다. 나에게 끊임없이 찬
양과 감사 올리기를 종일토록 훈련하렴.

보라 내가 새 일을 행하리니 이제 나타낼 것이라
너희가 그것을 알지 못하겠느냐
반드시 내가 광야에 길을 사막에 강을 내리니(사 43:19).

■ ■ ■ ■ ■ ■

감사하는 마음으로 나에게 나아와 네 잔에 복이 넘
침을 깨달아라. 감사하면 나를 더 명확히 인식하게 되
고, 사랑이 넘치는 우리 관계 속에서 더욱 큰 기쁨이
느껴질 거다. 혹여나 마음이 불안해지려 하거든 안전
이 오직 나에게만 있음을, 또한 나는 전적으로 신뢰할
수 있음을 다시금 기억해라.

나를 믿고 내 통치함 아래서 쉼을 누리렴. 예측 가능
하고 안전한 삶을 추구할 게 아니라, 나를 더 깊고 넓
게 알기를 구해라. 나는 너의 삶을 영광스러운 모험으
로 빚고자 열망하는데, 그러려면 네가 옛 방식을 그만
고집해야 하지. 나는 언제나 내 사랑하는 자 안에 새
로운 일을 행하고 있단다. 너를 위해 내가 준비한 모
든 일을 찾아 주변을 살펴라.

하나님이 이르시되 이리로 가까이 오지 말라
네가 선 곳은 거룩한 땅이니
네 발에서 신을 벗으라(출 3:5).

■■■■■

나는 성부 하나님이다. 너는 영원한 왕의 자녀요, 네가 져야 하는 가장 풍요로운 의무는 나에게 헌신하는 일이란다. 이 의무는 기쁨이 매우 큰 특권이라서 사치처럼 느껴지기도 하지. 너는 급히 처리해야 할 세상일을 뒤로 밀쳐 내고 오직 나하고만 시간 보내는 일을 짐짓 죄스러워하곤 한다. 그 죄의식은 사탄이 심어 주는 것이란다.

주의를 산만하게 하는 아우성은 듣지 말고 내게 귀를 기울여라. 내 영에게 마음을 통치해 달라고 구하렴. 잠잠히 내 임재에 주의를 기울여라. 네가 선 곳은 거룩한 땅이란다.

만일 우리가 우리 죄를 자백하면
그는 미쁘시고 의로우사 우리 죄를 사하시며
우리를 모든 불의에서 깨끗하게 하실 것이요(요일 1:9).

■·■·■·■

너의 모든 생각으로 나를 신뢰해라. 어떤 생각은 무
의식 또는 의식과 무의식의 사이에 있음을 알기에 그
런 생각에 대해서는 너에게 책임을 묻지는 않는단다.
하지만 의식적인 사고는 알고 있는 정도보다 더 많이
너의 지시를 받는다. 생각을 특정 방향으로 고정해 나
를 신뢰하며 내게 감사하기로 훈련하면, 그 생각은 점
점 더 자연스러워진단다.

부정적이거나 죄로 물든 생각이 엄습해 오거든 인식
하는 순간 바로 거부해라. 숨기려 하지 말고 그 생각
들을 나에게 고백하고 맡기렴. 가벼운 마음으로 너의
길을 계속 가렴. 생각을 통치하는 이 방법은 너의 마
음을 나의 임재 속에 두게 하고, 네 발을 평강의 길 위
에 놓아 준다.

내가 이것을 너희에게 이름은
내 기쁨이 너희 안에 있어
너희 기쁨을 충만하게 하려 함이라(요 15:11).

■ ■ ■ ■ ■ ■

내 얼굴을 구할 때 다른 모든 생각은 제쳐 두어라. 나는 모든 것 가운데 있으며, 모든 것 위에 존재하기에 나와의 교제는 시간과 환경을 모두 초월한단다. 내 임재로 인해 풍성하게 복 받을 준비를 해라. 나는 풍성한 하나님이라. 마음과 생각을 크게 열어 더욱더 많이 나를 받아라.

내 안에서 누리는 너의 기쁨이 네 안에서 내가 누리는 기쁨과 만날 때, 천상의 희열은 불꽃놀이처럼 폭발하며 빛을 발하지. 이것이 지금 여기에서 누리는 영생이니, 앞으로 올 삶에서 너를 기다리는 그 영생을 아주 조금 맛보는 셈이다. 우리가 지금은 거울을 통해 보는 것같이 희미하게 보지만, 그때에는 얼굴과 얼굴을 마주 보듯이 보게 될 것이다.

네 하나님 여호와를 사랑하고 그의 말씀을 청종하며
또 그를 의지하라 그는 네 생명이시요 네 장수이시니
여호와께서 네 조상 아브라함과 이삭과 야곱에게 주리라고
맹세하신 땅에 네가 거주하리라(신 30:20).

■ ■ ■ ■ ■ ■

내 음성을 들을 수 있기까지 걱정을 멈춰라. 나는 존재의 깊은 곳에서 부드럽게 말을 건넨단다. 네 마음은 이리저리로 움직이며 혼란과 불안의 거미줄을 짠다. 그래서 내가 주는 생각이 네 안에서 일어나더라도 그 끈적끈적한 염려의 거미줄에 얽혀 버리고 말지. 그렇게 내 소리는 희미해지고 네 귀에 들리는 것은 오직 백색소음*뿐이다.

마음을 잠잠하게 해서 내가 주는 생각으로 사고할 수 있도록 간구하렴. 이 능력은 내 자녀가 누리는 멋진 혜택이란다. 세상의 소음, 네 생각이라는 소음으로 인해 귀머거리가 되지 마라. 대신 마음을 새롭게 함으로 변화를 받아라. 나를 중심에 받아들이고 잠잠히 묵상하며 내 생각이 네 생각을 변화시키도록 해라.

---

* 백색소음(또는 백색잡음) : 음악에서 귀로 식별할 수 있는 모든 주파수 영역이 동시에 들리는 효과를 가리키는 말.

이제부터는 너희를 종이라 하지 아니하리니
종은 주인이 하는 것을 알지 못함이라
너희를 친구라 하였노니 내가 내 아버지께 들은 것을
다 너희에게 알게 하였음이라(요 15:15).

■■■■■

내 평화로운 임재 속에서 쉬어라. 우리가 함께 교제하는 성스러운 공간에까지 맡은 역할을 잘 수행해야 한다는 부담감을 갖고 오지 마라. 전적으로 신뢰하는 누군가와 있으면 너는 편안하게 본연의 모습이 된다. 이것은 진정한 우정에서 얻는 기쁨 가운데 하나지.

만주의 주요, 만왕의 왕인 내가 너의 친밀한 친구가 되기를 열망한다. 우리 관계에서 네가 위축되거나 허세 부릴 때 나는 마음이 아프단다. 네가 최악일 때의 모습을 알지만, 나는 네 안에 있는 최선을 본단다. 나와 함께 있을 때 전적으로 본연의 모습을 보일 수 있을 만큼 네가 나를 신뢰하기를 간절히 원한다. 네가 내게 진실 되면 네 안에 최선의 모습, 곧 영혼에 심어둔 바로 그 은사를 끌어낼 수 있단다. 편히 쉬며 우리의 우정을 누리렴.

너를 위하여 새긴 우상을 만들지 말고
또 위로 하늘에 있는 것이나
아래로 땅에 있는 것이나
땅 아래 물 속에 있는 것의
어떤 형상도 만들지 말며(출 20:4).

■ ■ ■ ■ ■ ■

오직 나만을 예배해라. 우상 숭배는 멸망을 부른다. 이 시대의 우상은 알아보기가 어려운데, 이는 오늘날의 거짓 신이 신앙의 영역 밖에 있기 때문이다. 사람, 소유, 지위, 그리고 자기 발전이 오늘날 가장 많이 모습을 드러내는 우상의 모습이다. 이 같은 대상 앞에 절하지 않도록 경계하렴. 거짓 신은 결코 만족하는 법이 없으며, 오히려 탐욕을 더욱 부채질한다.

세상의 우상이 아닌 나를 찾을 때, 내가 주는 기쁨과 평안을 경험할 수 있다. 눈에 보이지 않는 이 기쁨과 평안이 영혼의 갈증을 해소해 주고 깊은 만족을 주지. 세상의 화려함은 지극히 작고 일시적이지만, 내 임재의 빛은 영원히 장엄하게 빛난단다. 나와 함께 이 빛 가운데로 걷자꾸나. 그렇게 등대가 되어 다른 사람들을 내게로 이끌어 다오.

다른 이로써는 구원을 받을 수 없나니
천하 사람 중에 구원을 받을 만한
다른 이름을 우리에게 주신 일이
없음이라 하였더라(행 4:12).

■ ■ ■ ■ ■

나에게서 멀어졌다고 느낄 때는 언제든 나를 사랑하는 신뢰를 담아 내 이름을 속삭이려무나. 이 단순한 기도에는 내 임재를 인식하도록 회복하는 능력이 있단다.

세상에서 내 이름은 끊임없이 오용되어 어떤 사람들은 심지어 저주하는 말로 사용하지. 이와 같은 언어폭력은 하늘에까지 닿아 하나하나 내 귀에 들리고 기록된다. 네가 신뢰하며 내 이름을 부를 때, 저주하는 말에 시달린 귀가 달래지는구나. 세상이 이를 갈고 내 이름을 뱉어 내며 신성을 모독한다 해도, 나를 신뢰하는 자녀가 속삭이는 '예수님'이라는 고백을 이길 수 없단다. 우리 모두에게 복 주는 내 이름의 능력은 네가 이해할 수 있는 영역 그 이상이란다.

그들이 주를 앙망하고 광채를 내었으니
그들의 얼굴은 부끄럽지 아니하리로다(시 34:5).

■ ■ ■ ■ ■ ■

네가 구원의 풍성함을 경험함으로 끊임없이 완전하
게 사랑받는 기쁨을 누렸으면 좋겠구나. 너는 항상 네
모습, 행동 또는 감정에 근거해 스스로를 판단하지.
거울에 비치는 모습이 마음에 들면 내 사랑을 받을 가
치가 조금 더 있다고 여긴다. 일이 잘되어 가고 결과
가 좋을 때는 네가 나의 사랑하는 자녀라는 사실을 더
쉽게 믿지. 또한 낙심한 순간에는 내면을 살펴 뭔가
잘못된 일을 고치려고 하지.

하지만 그럴 때는 스스로를 고치려 하지 말고 영혼
을 사랑하는 나를 바라보렴. 자신을 비판하느라 에너
지를 낭비하지 말고 나를 찬양해라. 내가 보는 너는
내 공의로 덮혀 완전한 사랑으로 빛난다는 사실을 기
억해라.

여호와께서 사람의 걸음을 정하시고
그의 길을 기뻐하시나니
그는 넘어지나 아주 엎드러지지 아니함은
여호와께서 그의 손으로 붙드심이로다(시 37:23-24).

■ ■ ■ ■ ■

내가 너를 위해 선택한 길을 나와 함께 계속해서 걸어가렴. 내 곁에서 살고자 하는 너의 갈망으로 내 마음이 참 기쁘구나. 네가 소원하는 영적 부흥을 즉시 줄 수도 있지만, 나는 그렇게 하지 않는단다. 우리는 함께 높은 산 위로 향하는 길을 만들 거다.

우리가 가는 여정은 때때로 험난하고, 너는 연약하다. 언젠가는 높은 봉우리 위에서 가벼운 발걸음으로 춤추겠지만, 너의 발걸음은 종종 지쳐서 터벅대고 무거울 거다. 다음 걸음을 내디디며, 내 손을 붙들고 힘과 방향을 간구하라고 내가 그리하는 것이란다. 비록 이 순간 길이 험하고 눈앞에 펼쳐지는 풍경은 무료하지만, 저 굽이를 돌면 깜짝 놀랄 일이 있단다. 너를 위해 선택한 이 길을 계속해서 가라. 진정 생명의 길이란다.

그러므로 내일 일을 위하여 염려하지 말라
내일 일은 내일이 염려할 것이요
한 날의 괴로움은 그날로 족하니라(마 6:34).

■ ■ ■ ■ ■

내일 일을 걱정하지 마라! 이건 제안이 아니라 명령
이다. 나는 시간을 낮과 밤으로 나눠서 네가 감당할
수 있는 삶의 부분을 살아가도록 했다. 내 은혜가 너
에게 족하며, 그 족함은 오직 하루를 살기에 충분하
다. 미래를 걱정하면 하루의 문제 위에 또 다른 하루
의 문제를 연약한 네 몸 위에 쌓는 격이다. 그러고는
무거워 비틀거리는데, 나는 결코 너에게 이 짐을 지울
생각이 없단다.

나를 신뢰함으로 너를 짓누르는 이 짐을 발 빠르게
밀쳐내 버려라. 걱정은 머릿속을 종횡무진 떠돌지만,
나를 신뢰하면 곧장 너를 내 임재로 이끈단다. 그렇게
너의 믿음을 확신할 때 염려의 수갑은 즉시 풀려 벗겨
진다. 나를 항상 신뢰함으로 내 임재를 늘 누려라.

나를 기가 막힐 웅덩이와 수렁에서 끌어올리시고
내 발을 반석 위에 두사
내 걸음을 견고하게 하셨도다(시 40:2).

■■·■■■

자기 연민은 바닥이 없고 미끄러운 수렁과 같다. 일
단 빠지면 수렁 속으로 더 깊이 빠져든다. 미끄러운
수렁 아래로 빠지면 바로 낙심의 길에 들어서며 그 어
둠은 깊다.

유일한 희망은 고개를 들어 네 위에 내리비치는 내
임재의 빛을 바라보는 일이다. 네 관점에서 보면 웅덩
이 깊은 곳에서는 빛이 희미하게 보이겠지만, 이 희망
의 빛은 네가 아무리 깊은 곳에 있더라도 그곳까지 도
달한단다. 나를 신뢰하며 바라는 동안 너는 그 절망의
웅덩이에서 천천히 일어서서 마침내 위로 올라와 내
손을 붙잡을 수 있지. 너를 다시금 빛으로 이끌어낼
거다. 조심스럽게 너를 닦아 진흙을 떨어내겠다. 내
공의로 덧입히고 인생길을 너와 함께 걸어갈 것이다.

무화과나무에는 푸른 열매가 익었고
포도나무는 꽃을 피워 향기를 토하는구나
나의 사랑, 나의 어여쁜 자야 일어나서 함께 가자(아 2:13).

■■■■■■

나와 함께 잠시 동안 떠나자. 끊임없이 이어지는 세
상일은 잠깐 보류해도 좋다. 사람들은 대부분 나를 영
접하는 일을 보류하면서 언젠가는 교회에 나갈 거라
고들 말하지. 그러나 나를 삶의 배경화면으로 밀쳐 두
는 시간이 길어질수록 나를 찾기가 더 어려워진단다.

사람들은 분주함을 영광스럽게 생각하기 때문에 시
간이 독재자가 되어 자신의 삶을 통제하도록 만들지.
내가 구원자 됨을 아는 사람들도 세상 속도에 발맞춰
행진하곤 한다. 그들은 많을수록 더 좋다는 환상에 사
로잡혀 모임도, 프로그램도, 그리고 활동도 더 많을수
록 좋다고 믿는다.

너를 부른 까닭은 나를 따라 고독한 길을 걸으며, 나
하고만 보내는 시간을 최우선이자 가장 큰 기쁨으로
삼게 하기 위해서다. 부디 이 편을 선택했으면 좋겠구
나. 내 곁에 가까이 걸을 때 나는 너를 통해 다른 사람
을 축복한단다.

믿음은 바라는 것들의 실상이요
보이지 않는 것들의 증거니(히 11:1).

■■ ■ ■ ■ ■

　나는 네가 생각하는 것보다 더 가까이 있어서 모든 순간에 풍성히 드러난다. 너와 내가 연결되어 있는 끈은 사랑의 유대로 어떤 것도 끊을 수 없다. 하지만 나와의 연합은 눈에 보이지 않기 때문에 때때로 너는 외로움을 느낄 수도 있단다.

　너의 눈을 열어 모든 곳에 있는 나를 찾아라. 내 임재를 인식하면 할수록 너는 더욱 안전해진다. 이는 현실로부터의 도피가 아니며, 궁극적인 현실에 닿도록 조율하는 일이다. 나는 네가 보고, 듣고, 만질 수 있는 세상보다 훨씬 더 실재한다. 믿음은 바라는 것들의 실상이요, 보이지 않는 것들의 증거란다.

우리가 그에게서 듣고
너희에게 전하는 소식은 이것이니
곧 하나님은 빛이시라
그에게는 어둠이 조금도
없으시다는 것이니라(요일 1:5).

■ ■ ■ ■ ■

네가 느끼는 모든 감정을 내게로 가져와라. 두려움
과 염려는 여전히 너를 괴롭히지. 두려움은 그 자체로
는 죄가 아니지만, 죄를 범하게 하는 유혹이 된단다.
두려움의 미사일은 밤낮 할 것 없이 맹렬히 너에게 날
아들 거다. 참으로 혹독한 공격이지만 믿음의 방패를
가지고 그 불화살을 막아내라. 감정에 따라 나를 향한
신뢰가 흔들려서는 안 된다. 신뢰하기로 끈질기게 선
택하면 결국 감정은 믿음을 따르게 된다.

두려워서 숨지도 말고, 두렵지 않은 척 가장하지도
마라. 마음속 후미진 곳에 불안을 감추면 두려워하는
감정을 두려워하는 기괴함이 생겨난단다. 불안한 마
음을 내게로 가져오면 우리는 함께 그 불안함을 다룰
수 있지. 나를 신뢰하는 일에 집중하면 두려움은 네
안에서 점차 그 설 자리를 잃게 될 거란다.

이는 너희가 흠이 없고 순전하여
어그러지고 거스르는 세대 가운데서
하나님의 흠 없는 자녀로
세상에서 그들 가운데
빛들로 나타내며(빌 2:15).

■ ■ ■ ■ ■

내 얼굴을 구하면 네가 갈망하는 모든 것을 찾을 수
있다. 네 마음속 가장 깊은 열망은 바로 나와의 친밀
함을 추구하는 것이란다. 나를 갈망하도록 내가 너를
지었기 때문이지. 잠잠히 묵상하는 일에 죄의식을 갖
지 마라. 너는 네 안에 있는 신성이 이끄는 바에 순응
했을 뿐이다. 내 형상을 따라 너를 지었으며, 네 마음
속에 하늘을 숨겨 두었다. 나를 향한 너의 갈망은 천
국의 본향에 대한 열망과 같구나.

전심으로 나를 따르기 위해서는 다른 사람들을 기쁘
게 하려는 욕구를 포기해야 한다. 하지만 너는 나와
누리는 친밀함으로 인해 이 어두운 세상에서 밝게 빛
나게 되어 이로써 다른 사람들을 축복하게 된다.

주 여호와 이스라엘의 거룩하신 이가 이같이 말씀하시되
너희가 돌이켜 조용히 있어야 구원을 얻을 것이요
잠잠하고 신뢰하여야 힘을 얻을 것이거늘
너희가 원하지 아니하고(사 30:15).

■ ■ ■ ■ ■ ■

마음을 새롭게 하고 싶을 때는 내 안에서 쉬어라. 쉼
이란 사람들이 흔히 생각하는 것처럼 게으름이 아니
란다. 나와 함께 쉬는 일은 나를 신뢰하는 마음을 드
러내지. 신뢰는 부요한 단어로서 삶의 의미와 방향을
가득 품고 있단다. 마음을 다해 나를 믿고 의지하려무
나. 그 모습이 나는 말할 수 없이 기쁘다.

지쳤을 때 나에게서 멀어지는 사람이 많단다. 그런
사람들은 나를 의무나 부지런함과 연관지어 생각하기
때문에 일하다 쉼이 필요할 때는 내 임재에서 벗어나
숨으려고 하지. 이런 모습이 너무 슬프구나! 선지자
이사야를 통해 말한 것처럼 돌이켜 조용히 있어야 구
원을 얻을 것이요, 잠잠하고 신뢰하여야 힘을 얻게 될
거란다.

사람에게 보이려고 그들 앞에서
너희 의를 행하지 않도록 주의하라
그리하지 아니하면 하늘에 계신 너희 아버지께
상을 받지 못하느니라(마 6:1).

■ ■ ■ ■ ■ ■

다른 무엇보다 오직 나를 기쁘게 하려는 노력에서
자유를 찾아라. 너는 오직 한 주인만 섬길 수 있다. 다
른 사람들의 기대가 행동의 동기가 된다면 힘을 낭비
하는 셈이다. 좋은 모습을 보이려는 욕구 또한 힘을
소진시키지.

너의 주인인 나는 네 본연의 모습이 아닌 어떤 존재
가 되라고 너를 몰아세우지 않는다. 가식은 나를 노엽
게 하며, 특히 예배 중에 그런 모습을 보일 때는 더 그
렇단다. 항상 나와 가까이 머무는 일에 집중하렴. 나
의 임재에 집중하면서 진실하지 않기란 불가능하기
때문이란다.

이같이 너희 빛이 사람 앞에 비치게 하여
그들로 너희 착한 행실을 보고
하늘에 계신 너희 아버지께
영광을 돌리게 하라(마 5:16).

■ ■ ■ ■ ■ ■

나는 세상의 빛이다. 인간은 힘겹게 인생을 살아가
면서 어둠을 저주하지만, 사실 나는 내내 밝게 빛난단
다. 나를 따르는 모든 이들이 빛을 품은 사람이 되길
원한다. 네 안에 사는 성령은 너의 얼굴을 빛나게 함
으로써 주변의 사람들에게 나를 드러낼 수 있지.

오늘을 살아가는 동안 내 영이 너를 통해 살도록 간
구해라. 기쁘게 나를 신뢰하며 내 손을 잡아라. 나는
결코 네 곁을 떠나지 않기 때문이다. 내 임재의 빛이
너를 비춘다. 내가 누구인지를 세상에 반사해서 이 땅
을 밝혀라.

감사함으로 그의 문에 들어가며
찬송함으로 그의 궁정에 들어가서
그에게 감사하며 그의 이름을
송축할지어다(시 100:4).

■■■■■■

감사하면 내 임재로 통하는 문이 열린다. 나는 언제
나 너와 함께하지만 네 선택의 자유를 보호하기 위해
많은 노력을 기울인단다. 우리 사이에 문을 하나 두어
너에게 이 문을 여닫을 수 있는 능력을 부여했지. 이
문을 여는 방법은 많지만, 감사하는 태도야말로 가장
효과적인 방법이란다.

감사는 신뢰를 토대로 지어지는 건물과 같다. 감사
의 말이 목에 걸린 듯 잘 나오지 않는다면 신뢰의 기
초를 확인해 봐야 한다. 감사함이 자유롭게 마음과 입
술에서 흘러나올 때 그 감사가 너를 더욱 내 가까이
이끌어 준다. 하루 동안 얼마나 많이 나에게 감사할
수 있는지 깨닫는다면, 네가 얼마나 많은 복을 받았는
지 보게 될 거다. 범사에 내게 감사하는 기술을 배우
려무나.

너희가 온 마음으로 나를 구하면
나를 찾을 것이요
나를 만나리라(렘 29:13).

■ ■ ■ ■ ■

지저귀는 새 소리를 들을 때 너를 향한 내 사랑의 음
성도 들으렴. 나는 언제나 너에게 말을 건네는데 풍
경, 소리, 생각, 느낌, 성경을 통해서 그렇게 한다. 너
와 소통하기 위해 사용하는 방법에는 한계가 없단다.
너는 내가 보내는 메시지에 주의를 기울여 어떤 형태
로 오든지 알아채야 한다. 나를 찾기 시작하면 세상이
내 임재로 생생하게 살아 있음을 발견하게 될 거다.
아름다움과 새 소리에서뿐 아니라, 비극 속에서나 슬
픔이 가득한 사람들의 얼굴에서도 나를 찾을 수 있단
다. 가장 깊은 슬픔의 실로 선한 무늬를 짤 수 있지.

오늘을 사는 동안 나와 내 메시지를 찾아라. 온 마음
으로 나를 구하면 나를 찾을 것이고 만날 거란다.

나로 하여금 주의 계명들의 길로
행하게 하소서
내가 이를 즐거워함이니이다(시 119:35).

■ ■ ■ ■ ■ ■

　오늘을 사는 동안 내가 너를 인도하게끔 하렴. 너는
하루를 걱정스럽게 미리 들춰보며 무엇을 언제 해야
할지 알아내려고 안달하지. 그러는 동안 전화가 오거
나 초인종이 울리는 통에 계획을 다시 온통 수정하고
말이다. 그 모든 계획 때문에 곤란에 처하고 나에게서
멀어지는 너를 볼 때면 마음이 너무 아프단다. 말씀을
묵상할 때뿐만 아니라 항상 나를 바라렴. 나를 바라보
면 지금 무슨 일을 해야 하는지 그리고 다음 번 할 일
은 무엇인지 너에게 보여 준단다.

　강박적으로 계획을 세우느라 엄청난 시간과 에너지
를 낭비하지 마라. 내가 길을 안내하면 너는 자유롭게
되어 나를 즐거워하고, 오늘 너를 위해 준비한 일을
발견할 수 있단다.

소망 중에 즐거워하며
환난 중에 참으며
기도에 항상 힘쓰며(롬 12:12).

■ ■ ■ ■ ■ ■

소망은 너를 천국과 연결하는 황금 밧줄이다. 이 밧줄은 네가 의연할 수 있도록 도와준다. 심지어 수많은 시험이 너를 농락할 때도 동일하게 말이다. 나는 결코 네 곁을 떠나지 않으며, 네 손을 놓지 않는다. 그러나 소망의 밧줄이 없다면 나와 함께 오르막길을 걸어가는 동안 머리를 푹 숙인 채로 발을 질질 끌며 갈 수도 있지.

소망을 품으면 지친 발이 아니라, 저 높은 길에서 볼 수 있는 영광스러운 관점으로 시선이 높아지지. 나아가 우리가 함께 여행하는 길이 궁극적으로 천국으로 향하는 고속도로임을 깨달을 수 있을 거란다. 빛나는 이 목적지를 생각하면 앞에 놓인 길이 험난하든지 평탄하든지 그다지 중요하지 않다.

사랑 안에 두려움이 없고
온전한 사랑이 두려움을 내쫓나니
두려움에는 형벌이 있음이라
두려워하는 자는 사랑 안에서
온전히 이루지 못하였느니라(요일 4:18).

■ ■ ■ ■ ■

　나의 사랑이 존재의 내면 깊숙한 곳으로 스며들도록
하렴. 너의 어떤 면도 나에게 감추지 마라. 너를 안팎
으로 잘 알기에 내게 '잘 포장된' 모습을 보이려고 애
쓸 것 없다. 내 사랑의 빛에 드러나지 않은 상처는 곪
아서 구더기가 슬게 된다. 나에게 '감춘' 비밀스러운
죄는 분열 후 각각 독립적인 생명체로 증식해 미처 의
식하지도 못하는 사이 너를 통제한다.
　변화의 능력이 있는 나에게 너를 온전히 맡겨라. 빛
나는 내 사랑의 빛이 숨겨진 두려움을 찾아내 파괴하
도록 해주렴. 이렇게 하려면 나하고만 함께 보내는 시
간이 필요한데, 내 사랑이 가장 깊은 존재 속으로 젖
어들기 때문이다. 두려움을 내쫓는 온전한 사랑을 누
려라.

자녀들아 이제 그의 안에 거하라
이는 주께서 나타내신 바 되면
그가 강림하실 때에 우리로 담대함을 얻어
그 앞에서 부끄럽지 않게 하려 함이라(요일 2:28).

■■■■■■

계속해서 내게로 와라. 나는 네 양심의 중심이며, 영
혼의 닻과 같다. 네 마음은 나에게서 멀리 떨어져 방
황하겠지만, 문제는 그 방황을 어디까지 허락하느냐
의 여부란다. 짧은 밧줄에 묶인 닻은 약간 표류하다가
곧 줄이 팽팽해져 배는 다시 중앙으로 오지. 네가 방
황하며 내게서 멀어질 때는 네 안에 있는 나의 영이
너를 잡아당겨 내게로 돌아오도록 권고한단다.

내 임재에 점점 더 주파수를 맞추면 네 영혼의 닻이
매인 밧줄의 길이가 짧아진다. 이처럼 너는 짧은 거리
만 방황하고 나서 곧 내면의 끌어당김을 느끼며, 내
안에 있는 진짜 중심으로 돌아가라고 명령하는 내면
의 소리를 듣게 된단다.

서로 불러 이르되 거룩하다 거룩하다 거룩하다
만군의 여호와여 그의 영광이
온 땅에 충만하도다 하더라(사 6:3).

■■ ■■■■

거룩한 옷을 입고 나를 예배해라. 내 거룩한 존재의
실존을 선언하기 위해 아름다움을 창조했다. 당당하
게 피어나는 장미, 뇌리를 떠나지 않는 영광스러운 일
몰, 대양의 장대함, 이 모든 피조물은 이 세상에 나의
임재를 선포하기 위함이다. 사람들은 보통 이와 같은
피조물이 선포하는 바를 두 번도 생각하지 않고 재빨
리 스쳐 간다. 아름다움, 특별히 여성적인 사랑스러움
을 이용해 상품을 파는 사람들도 있지.

내 자녀가 자연의 아름다움에 경탄하는 태도는 거룩
한 나의 임재로 가는 길을 활짝 열어 준다. 나의 영광
스러운 존재를 세상에 선포해라. 내 빛나는 아름다움
이, 내 영광이 온 땅에 충만하단다!

221

하나님이 그들로 하여금 이 비밀의 영광이
이방인 가운데 얼마나 풍성한지를
알게 하려 하심이라
이 비밀은 너희 안에 계신 그리스도시니
곧 영광의 소망이니라(골 1:27).

■ ■ ■ ■ ■ ■

네 존재 깊은 곳에서 나를 신뢰해라. 바로 그곳에서
나는 너와 끊임없이 교제하며 거한다. 외적으로 당황
하고 지친다 해서 스스로에게 화내지 마라. 너는 단지
인간일 뿐이어서 주변에서 일어나는 사건에 휘말릴
수 있기 때문이다. 인간적인 한계 때문에 자신을 비난
하기보다는 내가 너와 함께 있으며 또한 네 안에 있음
을 기억해라.

나는 너를 항상 격려하며 지지하고 비난하지 않는
다. 너의 내면 깊은 곳, 내가 거하는 곳에서 네가 나의
평안을 항상 경험함을 알고 있다. 삶의 속도를 잠시
늦춰라. 나와 교제를 나누며 마음을 잠잠히 해라. 그
러고 나면 부활의 복을 주는 내 음성이 들릴 것이고,
너는 평강을 누리게 될 거다.

네 평생에 너를 능히 대적할 자가 없으리니
내가 모세와 함께 있었던 것같이
너와 함께 있을 것임이니라
내가 너를 떠나지 아니하며
버리지 아니하리니(수 1:5).

■ ■ ■ ■ ■

그 어떤 것도 너를 내 사랑에서 끊을 수 없다. 이 신
성한 확언이 네 생각을 통해 마음과 영혼에 흘러들도
록 해라. 두렵고 불안할 때는 절대적인 이 약속을 되
뇌이며 "예수님, 그 어떤 것도 당신의 사랑에서 저를
끊을 수 없습니다."라고 반복하렴.

인류의 비극은 대부분 사랑받지 못한다는 감정에서
출발한단다. 역경의 한복판에서 사람들은 사랑이 퇴
색하고 버림 받았다고 느끼지. 버림 받았다는 이 감정
은 종종 역경보다 더 끔찍하다. 나는 결단코 내 자녀
를 포기하지 않는다. 너를 떠나지 아니하며 너를 버리
지 않는다.

그가 영원토록 지극한 복을 받게 하시며
주 앞에서 기쁘고 즐겁게 하시나이다(시 21:6).

■■·■■■

너의 시간을, 가장 소중한 물품을 나에게 예물로 바쳐라. 행동에 중독된 세상에서는 소수의 내 자녀들만이 시간을 구별해 나의 임재 가운데서 잠잠히 앉아 있지. 이렇게 하는 사람들에게는 복이 생수의 강같이 흐른단다.

모든 복의 근원인 나도 우리가 함께 보내는 시간으로 복을 받는다. 이는 큰 신비니 헤아리려고 애쓰지 마라. 내 안에서 기쁨함으로 나를 영화롭게 하렴. 지금 그리고 영원히 나를 기뻐해라.

무릇 더러운 말은 너희 입 밖에도 내지 말고
오직 덕을 세우는 데 소용되는 대로 선한 말을 하여
듣는 자들에게 은혜를 끼치게 하라(엡 4:29).

■■■■■

네가 하는 말에 주의를 기울여라. 말에는 축복을 하거나 상처를 줄 수 있는 능력이 있단다. 부주의하게 부정적으로 말하면 스스로뿐 아니라 다른 사람에게도 피해를 준단다. 말로 표현하는 능력은 경이로운 특권으로 내 형상을 따라 지은 창조물에게만 부여했다. 강력한 이 능력을 책임 있게 사용하기 위해서는 내 도움이 필요하지.

세상은 빠른 재치로 대화를 주고받는 일을 높이 산다. 하지만 애야, 듣기는 속히 하되 말하기와 성내기는 더디하렴. 말을 할 때마다 내 영에게 도와달라고 구해라. 먼저 말을 건넬 때는 말을 건네기 전에 기도하고, 대화 중에는 대꾸하기 전에 기도해라. 이런 방법으로 너의 언어가 내 영의 통제 아래 놓인단다. 긍정적인 대화가 부정적인 대화의 자리를 대체함으로써 기쁨이 얼마나 커지는지 깜짝 놀라게 될 거다.

예수께서 이르시되
내가 곧 길이요 진리요 생명이니
나로 말미암지 않고는 아버지께로
올 자가 없느니라(요 14:6).

■ ■ ■ ■ ■ ■

내 손을 잡고 오늘을 나와 함께 기쁘게 걷자. 함께 오늘의 기쁨은 맛보고, 어려움은 인내하자꾸나. 내가 너를 위해 준비한 모든 일을 주의 깊게 살펴 놀라운 풍경, 상쾌한 모험 예감, 지쳤을 때 쉴 만한 안락한 피난처 등을 눈여겨보아라. 나는 변함없는 너의 친구며 인도자란다. 네 앞에 펼쳐진 여정의 구석구석을 천국에 이르기까지 모두 안단다.

내 곁에 머물 것인지 아니면 길을 따라 걸을 것인지 양자택일하지 않아도 된다. 내가 곧 길이기 때문에 내 곁에 머물기로 선택하면 곧 길을 따라 걷는 거란다. 생각의 중심을 내게 두면 오늘의 여정을 따라 세심하게 너를 인도한단다. 다음 번 모퉁이에서는 무슨 일이 생길지 걱정하지 마라. 단지 내 임재를 즐거워하고 나와 함께 보조를 맞춰 걷는 일에 집중하렴.

성령이 친히 우리의 영과 더불어
우리가 하나님의 자녀인 것을
증언하시나니(롬 8:16).

■ ■ ■ ■ ■ ■

내가 너에게 복 주는 동안 잠잠히 내 임재 가운데 앉
아 있어라. 잔잔한 물웅덩이처럼 마음을 고요하게 해
서 그 안에 내가 떨어뜨리는 생각은 무엇이든지 받을
준비를 갖춰라. 오늘 마주할 도전이 무엇일지 생각하
는 동안 모든 것을 풍성하게 허락하는 내 안에서 쉬어
라. 과연 그 일을 잘 감당할 수 있을까 걱정하느라 스
스로를 지치게 하지 마라. 계속 나를 기대하고, 나와
소통하면서 이 하루를 함께 걸어가자꾸나.

시간을 내 길가에서 쉬면서 갈 수 있으니, 나는 서두
르지 않기 때문이다. 여유를 가지고 걸으면 서둘러 애
쓸 때보다 더 많은 일을 이뤄낸단다. 급히 서두를 때
는 네가 누구인지, 네가 누구 소유인지 잊어버리기 마
련이지. 너는 내 왕국의 왕족임을 늘 기억하렴.

나의 발을 암사슴 발 같게 하시며
나를 나의 높은 곳에 세우시며(시 18:33).

■■·■■■

　일이란 일은 모두 잘못된 것처럼 보일 때 멈춰 서서
나를 향한 신뢰를 확인하렴. 차분하게 이 모든 문제를
나에게로 가져와 내 능력의 손에 맡겨라. 그런 후에
그 다음 일을 해라.

　감사하며 신뢰하는 기로로 계속해서 나와 연락하고,
나의 주권적 통치 가운데 쉬려무나. 그리고 내 안에서
즐거워하고, 네 구원의 하나님 안에서 크게 기뻐해라.
나를 신뢰하면 너의 발을 사슴과 같게 하여 너의 문제
와 고통, 책임의 높은 곳을 걸어나가도록 할 거란다.

그러므로 우리가 믿음으로
의롭다 하심을 받았으니
우리 주 예수 그리스도로 말미암아
하나님과 화평을 누리자(롬 5:1).

■■■■■■

　무엇인가를 이해한다고 해서 평안을 맛보지는 못한
다. 그렇기 때문에 나를 신뢰하고 너의 명철을 신뢰하
지 말라고 가르치는 것이다. 인간은 자신의 삶을 지배
한다는 의식을 얻기 위해 상황을 파악하려 들지. 하지
만 세상은 한 가지 문제를 해결하고 나면 곧바로 다른
문제를 던져 준단다. 최고의 지혜자였던 솔로몬도 결
코 평안에 이르는 길을 생각해내지 못했다. 결국 그는
자기 길을 잃고 여러 아내의 뜻에 굴복해 우상을 숭배
하고 말았지.

　내가 주는 평안은 어렵지도 않고, 복잡한 미로 한가
운데 숨겨져 있지도 않단다. 사실 너는 언제나 평안에
둘러싸여 있는데, 그 평안이 본래 내 임재 속에 있기
때문이지. 나를 의지하면 이 귀한 평안을 인식할 수
있다.

그러므로 누구든지 나의 이 말을 듣고 행하는 자는
그 집을 반석 위에 지은 지혜로운 사람 같으리니
비가 내리고 창수가 나고 바람이 불어
그 집에 부딪치되 무너지지 아니하나니
이는 주초를 반석 위에 놓은 까닭이요(마 7:24-25).

■ ■ ■ ■ ■

나는 천국의 심연에서 너에게 말하고, 너는 존재의
깊은 곳에서 나를 듣는다. 이는 깊은 바다가 서로 부
름과 같단다. 내 음성을 이처럼 직접적으로 들을 수
있는 건 복된 일이지. 이 특권을 결코 당연시 여기지
마라.

최고의 반응은 마음을 넘치는 감사로 채우는 일이란
다. 나는 네가 감사하는 마음 밭을 경작하도록 훈련하
고 있다. 이 일은 마치 반석 위에 집을 짓는 것과 같으
니, 인생의 풍랑에 흔들리지 않게 하지. 나는 네 앞길
을 한 번에 한 걸음씩 열 것이다.

내가 여호와로 말미암아 크게 기뻐하며
내 영혼이 나의 하나님으로 말미암아 즐거워하리니
이는 그가 구원의 옷을 내게 입히시며
공의의 겉옷을 내게 더하심이 신랑이 사모를 쓰며
신부가 자기 보석으로 단장함 같게 하셨음이라(사 61:10).

■ ■ ■ ■ ■

내 공의의 겉옷을 입어라. 너를 머리끝부터 발끝까지 덮기 위해 맞춤 제작했단다. 너는 가끔 내 공의가 선물임을 잊고 네가 걸친 합법적인 외투를 거북스러워한다. 벨벳처럼 부드러운 외투가 마치 거친 삼베로 만들어진 양 그 아래에서 괴로워하는 너를 보며 나는 눈물을 흘린단다.

나를 깊이 신뢰하면 내 왕국에서 네가 얼마나 특별한지 알 수 있을 거다. 나를 바라보며 공의의 겉옷을 입고 걷는 연습을 해라. 내 왕국에 걸맞지 않은 행동을 할 때 왕의 겉옷을 벗어던지지 말고, 불의한 행동을 벗어 버려라. 그러면 이 영광스러운 옷을 편안히 입을 수 있게 되어, 세상의 기초를 세우기 전에 너를 위해 지은 그 선물을 기뻐하게 될 거다.

그런즉 너희가 어떻게 행할지를 자세히 주의하여
지혜 없는 자같이 하지 말고
오직 지혜 있는 자같이 하여
세월을 아끼라 때가 악하니라(엡 5:15-16).

■ ■ ■ ■ ■ ■

나하고만 보내는 이 시간을 통해 내가 너를 치유하
도록 하렴. 네 생각의 중심을 내게 놓으면 신뢰가 두
려움과 걱정의 자리를 대신한다. 나와 친밀한 교제를
나눔으로써 신뢰를 키울 뿐 아니라, 중요한 일과 그렇
지 않은 일을 구분하도록 돕는다.

시간과 에너지는 값비싸고 제한된 자원이다. 그러므
로 현명하게 사용해야 하고, 정말로 중요한 일에 집중
해야 하지. 내 곁에서 가까이 걸으며 성경으로 마음을
채울 때, 네 시간과 에너지를 어떻게 사용해야 하는지
보여 준단다. 내 말은 네 발의 등이요, 내 임재는 네 길
의 빛이란다.

그의 영광의 풍성함을 따라 그의 성령으로 말미암아
너희 속사람을 능력으로 강건하게 하시오며
믿음으로 말미암아 그리스도께서 너희 마음에
계시게 하시옵고 너희가 사랑 가운데서
뿌리가 박히고 터가 굳어져서(엡 3:16-17).

■ ■ ■ ■ ■

오라, 오라, 내게로 오라. 너를 향한 나의 계속적인
초대는 거룩한 속삭임으로 선포된다. 마음과 생각이
잠잠할 때는 내 가까이 너를 부르는 내 초대의 소리를
들을 수 있다.

너 자신을 내 사랑의 임재에 열어, 나의 충만함으로
너를 채워라. 너를 향한 내 사랑의 너비와 길이와 높
이와 깊이가 어떠함을 경험함으로 지식 그 이상인 나
의 사랑을 네가 알았으면 좋겠구나. 이처럼 광대한 사
랑의 대양은 측정할 수도, 설명할 수도 없으며, 다만
경험으로만 알 수 있을 뿐이다.

상한 갈대를 꺾지 아니하며
꺼져 가는 등불을 끄지 아니하고
진실로 정의를 시행할 것이며(사 42:3).

■■■■■■

약하고 지칠 때 나에게로 오렴. 내 영원한 팔에서 편안히 쉬어라. 나는 약함을 경멸하지 않는단다. 그 약함이 오히려 나를 네 가까이로 더욱 이끈다. 나는 네가 걸어온 길이 얼마나 어려웠는지 다 안단다.

인생길을 쉽게 건너뛰어 가는 것처럼 보이는 다른 사람들과 너 자신을 비교하지 마라. 그들의 여정은 네가 가는 길과 다르며, 그들에게는 충분한 힘을 부여했단다. 너에게는 약함을 선물해서 네 영혼이 나의 임재와 함께 꽃피울 수 있는 기회를 제공했지. 이 선물은 신성한 보물로, 가냘프지만 찬란한 빛으로 불타오르는 선물이다. 약한 모습을 위장하거나 부정하려고 하기보다는 그 약함을 통해 내가 너에게 풍성히 복 줄 수 있게 해주렴.

도둑이 오는 것은 도둑질하고
죽이고 멸망시키려는 것뿐이요
내가 온 것은 양으로 생명을 얻게 하고
더 풍성히 얻게 하려는 것이라(요 10:10).

■ ■ ■ ■ ■

삶을 더욱 기뻐하는 방법을 배워라. 내가 너와 함께
하는 하나님임을 기억하고 쉬어라. 나는 너에게 나를
알고 나를 기뻐할 수 있는 능력을 부여했다. 내 백성
이 불쾌한 표정을 하고 체념한 태도로 경직되어 살면
나를 슬프게 한다.

네가 어린아이와 같은 기쁨으로 하루를 살면서 모든
복을 맛볼 때, 항상 너와 함께하는 목자인 나를 향한
신뢰를 선포한다. 너와 함께하는 내 임재에 더욱 집중
할수록 네 삶을 더 풍성하게 기뻐할 수 있단다. 내 안
에서 누리는 기쁨으로 나를 영화롭게 해라. 너를 주목
하는 세상을 향해 너는 그렇게 내 임재를 선포한다.

주께서 옛적에 땅의 기초를 놓으셨사오며
하늘도 주의 손으로 지으신 바니이다 천지는 없어지려니와
주는 영존하시겠고 그것들은 다 옷같이 낡으리니
의복같이 바꾸시면 바뀌려니와 주는 한결같으시고
주의 연대는 무궁하리이다(시 102:25-27).

■ ■ ■ ■ ■

나는 이제도 있고 전에도 있었고 장차 올 자다. 끊임 없이 변하는 세상에 너는 놀라고 전부 흡수할 수 없어 하지. 심지어 네가 거하는 몸도 거침없이 변하는데, 젊음과 생명을 무한히 연장하고자 하는 과학의 시도로도 그 변화를 막을 수 없다. 그러나 나는 어제나 오늘이나 영원토록 동일하다.

나는 변함이 없기 때문에 나와의 관계는 네 삶에 반석과 같은 기초를 제공한단다. 나는 결코 네 곁을 떠나지 않는다. 네가 이 땅의 삶에서 다음 삶으로 걸음을 옮기면, 네 곁에 있는 나의 임재는 매 걸음 더욱 밝게 빛난다. 아무것도 두려워할 일이 없는 이유는 내가 너와 영원토록 함께하기 때문이다.

저녁과 아침과 정오에
내가 근심하여 탄식하리니
여호와께서 내 소리를 들으시리로다(시 55:17).

■■■■■

나는 영원한 하나님이며, 모든 존재의 하나님이다.
아침의 고요함 속에서뿐 아니라 하루 동안 줄곧 나를
찾아라. 예기치 못한 일 때문에 나의 임재에서 주의를
놓치지 않도록 주의해라. 대신 모든 일에 대해 나와
함께 이야기 나누면서 내가 행할 일을 보기 위해 확신
을 가지고 살펴라.

어떤 역경도 너와 나의 교제를 방해할 수 없다. 상황
이 잘못되면 너는 마치 벌이라도 받은 듯이 반응하곤
하지. 이처럼 부정적으로 반응하지 말고 어려움을 변
장하고 찾아온 복으로 보려고 노력해 보렴. 나를 피난
처 삼아 의지하고 내 앞에 마음을 털어놓으렴.

끝으로 형제들아 무엇에든지 참되며
무엇에든지 경건하며 무엇에든지 옳으며
무엇에든지 정결하며 무엇에든지 사랑받을 만하며
무엇에든지 칭찬받을 만하며 무슨 덕이 있든지
무슨 기림이 있든지 이것들을 생각하라(빌 4:8).

■ ■ □ □ ■ ■

이른 아침의 광채 속에서 나를 만나라. 나와 함께하
는 이 거룩한 시간의 고요함 속에서 너에게 새 힘을
주고 평안으로 너를 적신다. 다른 사람들은 낮잠을 자
거나 불안한 마음으로 최신 소식에 주의를 기울이지
만, 너는 우주의 창조자인 나와 교제하지. 네 마음 안
에 나를 알고자 하는 강한 욕구를 일깨웠다. 이 갈망
은 내 안에서 시작되었지만, 이제 네 안에서 밝게 타
오를 거야.

나는 네 기쁨을 억누르는 암울한 하나님이 아니다.
무엇에든지 참되며, 경건하며, 옳으며, 정결하며, 사
랑받을 만하며, 칭찬받을 만한 일에서 네가 기쁨을 얻
을 때 나는 기쁘다. 이것들을 생각하면 네 안에 있는
나의 빛이 매일매일 더욱 밝게 빛나게 될 거다.

하늘에 있는 자들과 땅에 있는 자들과
땅 아래에 있는 자들로 모든 무릎을
예수의 이름에 꿇게 하시고
모든 입으로 예수 그리스도를 주라 시인하여
하나님 아버지께 영광을 돌리게 하셨느니라(빌 2:10-11).

■ ■ ■ ■ ■ ■

혼란의 한복판에서 나를 찾아라. 때로 사건들이 네 주변에서 너무 빠르게 소용돌이치면 온통 불분명해지지. 내가 여전히 너와 함께 있음을 깨닫고 내 이름을 속삭여라. 네가 해야 하는 활동을 건너뛰지 않으면서 내 이름을 고백하는 기도를 통해 힘과 평안을 찾는단다. 후에 일이 다 지나고 나면 나와 좀 더 자세히 이야기 나눌 수 있다.

매일매일을 있는 그대로 받아들여라. 다른 환경이기를 바라느라고 시간과 에너지를 낭비하지 마라. 나를 깊이 신뢰함으로 내 계획과 목적에 순종해라. 내 사랑의 임재에서 그 어떤 것도 너를 떼어놓을 수 없음을 기억하렴. 너는 내 것이다.

지존자의 은밀한 곳에 거주하며
전능자의 그늘 아래에 사는 자여(시 91:1).

■ ■ ■ ■ ■

인생 도처에 환난이 도사리고 있으며, 세상은 심히
타락했다. 어려움을 피할 길을 찾으려는 노력을 멈춰
라. 평탄한 인생을 살면 나를 의지하지 않는다. 네가
그리스도인이 되었을 때 나는 네 안에 나의 생명을 불
어넣음으로 내게 의지해 초자연적인 수준의 삶을 살
수 있는 능력을 부여했다.

하지만 언젠가는 능력 밖의 일을 만날 테고, 네 능력
이 얼마나 부족한지 비로소 깨달을 것이다. 네가 서기
원하는 곳은 바로 여기로, 내 영광과 능력 중에 있는
나를 만날 수 있는 최고의 장소다. 수많은 문제가 너
를 향해 행진해 올 때는 소리쳐 나를 불러라. 너를 위
해 내가 싸우도록 해라. 전능자의 그늘 아래에서 쉬면
서 너를 위해 일하는 나를 지켜보아라.

여호와 앞에 잠잠하고 참고 기다리라
자기 길이 형통하며 악한 꾀를 이루는 자 때문에
불평하지 말지어다(시 37:7).

■■■■■

네가 나를 얼마나 필요로 하는지 안다. 생각이 나를
떠나 멀리 방황할 때 그 허무함을 읽을 수 있다. 나는
네 심신을 가볍게 할 뿐 아니라, 영혼에 쉼을 준다. 내
안에서 충만함을 발견할수록 다른 기쁨은 점점 그 의
미를 잃지. 나를 친밀하게 아는 일은 기쁨이 샘솟는
너만의 우물을 네 안에 소유하는 것과 같단다. 이 샘
은 내 은혜의 보좌에서 흘러나오기 때문에 네가 누리
는 기쁨은 환경과는 상관이 없다.

내 임재 안에서 기다리는 일은 너를 나와 연결해 주
어, 내가 제공하는 모든 것을 일깨워 준다. 뭔가 부족
함을 느낀다면 초점을 다시 내게로 맞추어라. 이것이
삶의 매 순간 나를 신뢰하는 방법이다.

그가 네 모든 죄악을 사하시며
네 모든 병을 고치시며(시 103:3).

■■■■■■

나는 치유하는 하나님이란다. 그릇된 생각, 상한 마음, 온전하지 못한 몸, 엉망이 된 인생, 그리고 깨어진 관계를 치유한다. 내 임재에는 강력한 치유의 능력이 있다. 내 곁에 가까이 살면서 내 치유를 경험하지 못하는 일은 없단다. 네가 구하지 않아도 내 임재에서 자연스럽게 흘러나오는 치유의 능력으로 네가 치유받는 일은 일어난다. 하지만 그보다 더한 치유, 보다 큰 치유는 구하는 자에게만 가능하단다.

한 사람의 인생에서 모든 상처를 치유하는 일은 거의 없단다. 내 종 바울도 그 육체의 가시를 치유해 달라고 구했을 때 "내 은혜가 네게 족하다."라는 대답을 들어야 했다. 그럼에도 불구하고 나와 친밀하게 연결된 삶을 사는 사람에게는 큰 치유의 능력이 미친다.

이스라엘의 하나님 여호와여
위로 하늘과 아래로 땅에 주와 같은 신이 없나이다
주께서는 온 마음으로 주의 앞에서 행하는 종들에게
언약을 지키시고 은혜를 베푸시나이다(왕상 8:23).

■ ■ ■ ■ ■

나와 함께 잠시 기다리렴. 너에게 해줄 말이 많구나.
너는 내가 너를 위해 선택한 길을 걷고 있다. 이 길은
특권인 동시에 위험도 많은 길이란다. 내 영광스러운
임재를 경험하면서 그 진실을 다른 사람들에게도 알
려야 한단다. 때로 그 일을 감당하는 건 주제넘은 일
같다고 느끼기도 하지.

다른 사람들이 너를 어떻게 생각할지 염려하지 마
라. 네 안에서 내가 행하는 일은 처음에는 숨겨져 있
단다. 그러나 결국 활짝 만발해서 풍성한 열매를 맺
지. 생명의 길에 나와 함께 머물러 있어라. 전심으로
나를 신뢰하면서 내 영이 기쁨과 평안으로 너를 채우
도록 하렴.

그런즉 너희는 하나님께 복종할지어다
마귀를 대적하라 그리하면 너희를 피하리라(약 4:7).

■ ■ ■ ■ ■ ■

나를 신뢰하고 두려워하지 마라. 시련은 신뢰의 근육을 발달시키기 위한 운동이라고 여겼으면 좋겠구나. 너는 맹렬한 영적 전투의 한가운데 살고 있지. 두려움은 사탄이 가장 좋아하는 무기 가운데 하나이니까 두려움이 생기거든 나를 믿고 의지하렴. 상황이 허락한다면 큰소리로 외쳐라. 내 이름으로 마귀를 대적해라. 그러면 너를 피할 것이다. 나에게 찬양의 말을, 찬양의 노래를 올리면 내 얼굴을 너에게 밝히 내보일 것이다.

내 안에 있는 자에게는 결코 정죄함이 없다. 너는 영원히 유효한 무죄를 선고받았다. 나는 너의 힘이며, 노래이며, 너의 구원임이라. 그러니 나를 신뢰하고 두려워하지 마라.

그 아이에게 네 손을 대지 말라 그에게 아무 일도 하지 말라
네가 네 아들 네 독자까지도 내게 아끼지 아니하였으니
내가 이제야 네가 하나님을 경외하는 줄을 아노라(창 22:12).

■■·■■■

너의 사랑하는 이들을 나의 손길 아래 두어라. 그들에게 집착하는 네 손에 매여 있을 때보다 나와 함께 있을 때 그들은 훨씬 안전하다. 네가 사랑하는 사람들이 마음속에서 우상이 되도록 내버려 두면, 너뿐 아니라 그들도 위험에 빠뜨리는 셈이다. 아브라함과 이삭에게 사용했던 극단적인 방법을 기억해라. 아들을 숭배했던 아브라함을 자유롭게 하고자 나는 이삭을 죽음의 순간까지 데려갔다. 극진한 부모의 사랑조차 혐오스러운 우상이 되곤 한다.

사랑하는 이들을 잡은 손을 놓고 내게 보내면 네가 자유롭게 내 손에 매달릴 수 있다. 또한 나를 믿고 다른 사람들을 내게 보낸 만큼 나는 기꺼이 그들에게 복을 쏟아붓는다.

여호와여 내 혀의 말을 알지 못하시는 것이
하나도 없으시니이다(시 139:4).

■ ■ ■ ■ ■ ■

나는 네 주변에 있어 네가 나의 얼굴을 구할 때 네 위를 맴돈다. 숨 쉬는 공기보다 더 가까이 네가 생각하는 이상으로 가까이 있단다. 만일 나의 임재를 인식할 수만 있다면, 결코 외로움을 느끼지 않을 거란다. 나는 네가 떠올리기도 전에 네 모든 생각을, 말로 표현하기 전에 네 모든 말을 훤히 다 안다. 그래서 나에게서 뭔가를 감추려는 노력은 무의미하지.

사람들은 보통 내면 깊은 곳에서 임박한 나의 임재를 어떤 식으로든 인지한다. 나에게서 도망가거나 격렬히 내 존재를 부정하는 사람들도 많은데, 가까이 있는 내 존재가 두렵기 때문이지. 하지만 내 자녀는 두려워할 이유가 없다. 내 피로 그들을 정결하게 했고, 나의 의로움으로 옷 입혔기 때문이다. 네 안으로 나를 맞이하여 내가 주는 복을 누리도록 하렴.

너희는 너희가 하나님의 성전인 것과
하나님의 성령이 너희 안에 계시는 것을
알지 못하느냐(고전 3:16).

■■■■■■

나는 영원히 스스로 있는 자로서 언제나 있었고, 앞으로도 항상 있을 거다. 내 임재 안에서 너는 사랑과 빛, 평안과 기쁨을 경험한다. 나는 네 모든 순간을 친밀히 감싸고, 항상 나를 인식하도록 너를 훈련시키지. 네가 맡은 일은 이 훈련 과정에서 나와 협력하는 부분이다.

나는 네 안에 거하니, 곧 내적 존재의 중심에 있다. 너의 마음은 시간이 지날수록 그 거룩한 중심의 접점에서 벗어나지. 내게 집중한 채로 머물러 있지 못하는 무능에 놀라지 마라. 생각이 방황할 때 다만 조심스럽게 다시 내게로 이끌어 오면 된다. 마음을 다시금 내게 고정하는 가장 빠른 방법은 내 이름을 고백하는 거란다.

평안을 너희에게 끼치노니
곧 나의 평안을 너희에게 주노라
내가 너희에게 주는 것은
세상이 주는 것과 같지 아니하니라
너희는 마음에 근심하지도 말고
두려워하지도 말라(요 14:27).

■■■■■

엉망진창이 되어 버린 하루를 보내는 중에 나를 신뢰해라. 내적인 고요함, 곧 내 임재 안에서 네가 누리는 평안은 너에게 생기는 일 때문에 흔들릴 이유가 없다. 너는 일시적인 세상에 살지만 내면은 영원에 뿌리 내리고 있단다. 스트레스가 생기면 주변의 방해물에서 떨어지렴. 너의 작은 세상 안에 존재하는 질서와 통제를 놓치지 않으려고 몸부림치지 말고, 긴장을 풀고서 환경이 내가 주는 평안을 빼앗아 갈 수 없음을 기억해라.

나를 찾으면 내 마음을 너와 함께 나누고, 세상을 내 관점에서 볼 수 있도록 눈을 열어 줄 거란다. 마음에 근심하지 말고 두려워하지도 마라. 내가 주는 평화가 너에게 족하다.

주의 말씀은 내 발에 등이요
내 길에 빛이니이다(시 119:105).

■ ■ ■ ■ ■

    나와의 동행에 따르는 기쁨을 누리기 위해 나와 함께 시간을 보내렴. 나는 가장 지지부진한 어두운 나날조차도 밝힐 수 있고, 매일의 일상을 빛나게 할 수 있다. 매일매일 무미건조하게 반복되는 일로 네 생각은 무디어져서 멍해지기도 하지. 이렇게 마음이 초점을 잃으면 '세상', '육', 그리고 '사탄'이 네 약점을 알아챈단다. 이 세 가지는 모두 생각하는 힘을 떨어뜨리지. 그렇게 되면 점점 더 혼란을 느끼고 방향 감각을 잃게 된다. 최고의 치료법은 생각과 마음을 다시 나에게, 변함없이 너와 동행하는 나에게 초점을 맞추는 거란다.

    몹시 혼란스러운 하루조차도 나와 함께 한 걸음씩 옮기면 활짝 열릴 거다. 나는 네가 가는 곳은 어디든 함께하면서 네 길에 빛을 비출 거다.

그 성은 해나 달의 비침이 쓸데없으니
이는 하나님의 영광이 비치고
어린양이 그 등불이 되심이라(계 21:23).

■■□□□□

내 임재의 빛 가운데서 강해져라. 내 얼굴을 너에게
비추면 풍성한 은혜 가운데서 굳건히 성장할 수 있단
다. 나와 함께 친밀한 교제를 나누도록 너를 지었으
며, 이 교제를 통해 너의 영혼은 성장한단다. 친밀한
교제를 통해 천국에서 너를 기다리는 교제를 아주 조
금 맛볼 수 있단다. 그곳에서는 너와 내 영광 사이에
놓인 모든 장애물이 사라진단다.

나와 함께 묵상하는 이 시간이 너에게는 겹으로 베
푸는 축복이란다. 지금 이곳에서 내 임재를 경험할 뿐
아니라, 천국 소망으로 새로워지기 때문이지. 훗날 천
국에서 황홀한 기쁨을 누리며 나를 알게 될 거란다.

너의 행사를 여호와께 맡기라
그리하면 네가 경영하는 것이 이루어지리라(잠 16:3).

■ ■ ■ ■ ■

내 임재 안에 잠잠히 앉아 나를 신뢰해라. 해야 할
일은 모두 제쳐두고 무슨 일이든 걱정하지 않기로 결
정해라. 우리가 함께하는 이 신성한 시간은 너를 강하
게 해서 하루 동안 일어나는 일들을 직면할 수 있도록
준비시켜 준다. 너는 하루 활동을 시작하기 전에 나를
기다림으로써 살아 있는 내 임재의 현실을 선포한다.
행동하기 전에 기다리는 이 믿음의 태도는 영적 세계
에서 주목을 받는다. 그곳에서는 네 신뢰를 증명하면
통치자들과 어둠의 권세가 약해진다.

네가 무언가 해야 한다면 내 영과 성경을 통해 명백
하게 인도할 거다. 세상은 매우 복잡하고 지나치게 자
극적이어서 너는 쉽사리 방향 감각을 잃을 수 있다.
방향 감각을 되찾고 싶다면 나와 함께 시간을 보내면
된단다.

내가 주의 영을 떠나 어디로 가며
주의 앞에서 어디로 피하리이까…
내가 새벽 날개를 치며 바다 끝에 가서 거주할지라도
거기서도 주의 손이 나를 인도하시며
주의 오른손이 나를 붙드시리이다(시 139:7, 9-10).

■ ■ ■ ■ ■

나를 찾을 수 없을 만큼 황폐한 곳은 없다. 하갈이
그 여주인 사라를 피해 광야로 도망했을 때, 자신은
버림 받아 철저히 혼자라고 생각했지. 그러나 하갈은
그 황폐한 곳에서 나를 만났단다. 그곳에서 하갈은 나
를 살피시는 하나님으로 나를 불렀다. 내 임재와의 만
남에서 그녀는 여주인에게 돌아갈 수 있는 용기를 얻
었지.

그 어떤 환경도 내 사랑의 임재에서 너를 분리할 수
없단다. 나는 언제나 너를 살핀다. 나에게 너는 구속
받은 성도요, 내 공의를 덧입어 영광스럽게 빛나는 자
란다. 그렇기 때문에 나는 너로 말미암아 기쁨을 이기
지 못하며, 너로 말미암아 즐거이 부르며 기뻐한단다.

너는 알지 못하였느냐 듣지 못하였느냐
영원하신 하나님 여호와, 땅 끝까지 창조하신 이는
피곤하지 않으시며 곤비하지 않으시며
명철이 한이 없으시며(사 40:28).

■ ■ ■ ■ ■ ■

약함으로 강해져라. 내 자녀 중에는 풍성한 힘과 건강을 선물로 받은 이들이 있다. 네 경우처럼 '약함' 이라는 소박한 선물을 받은 사람들도 있지. 네 약함은 형벌이 아니요, 믿음이 부족하다는 표시도 아니다. 오히려 너처럼 약한 사람들은 믿음으로 살아야만 하기에 나에게 의지하여 하루를 살아내야 한다.

네 자신의 명철보다 나를 신뢰하고 의지하는 능력을 개발하고 있단다. 하루를 계획하고 무슨 일이 언제 일어날지 알고 싶어 하는 성향은 너에게 자연스러운 일이지. 얘야, 그럴수록 나를 더 의지하고, 네가 필요할 때 내가 너를 인도하고 힘을 준다는 사실을 신뢰하렴. 약한 가운데 강해지는 방법이 여기에 있단다.

그러나 네가 거기서
네 하나님 여호와를 찾게 되리니
만일 마음을 다하고 뜻을 다하여
그를 찾으면 만나리라(신 4:29).

■ ■ ■ ■ ■

온 마음으로 나를 찾아라. 네가 나를 발견하기 원하여 네 삶의 사건들을 조율할 때 그 목적을 늘 염두에 둔단다. 일이 잘 풀리고 복을 받을 때는 내가 너에게 미소 짓고 있다고 느낄 수 있다.

삶의 여정을 가는 동안 울퉁불퉁한 길을 마주할 때도, 내 빛이 여전히 너를 비추고 있음을 신뢰해라. 이런 역경을 너에게 허락하는 이유가 신비 속에 감춰진 경우는 있어도 너와 언제나 함께한다는 나의 임재 약속은 절대적이란다. 형통할 때 나를 찾고, 어려운 시기에도 나를 구해라. 그러면 항상 너를 지켜보는 나를 발견하게 될 거다.

그날에는 내가 아버지 안에,
너희가 내 안에, 내가 너희 안에 있는 것을
너희가 알리라(요 14:20).

■ ■ ■ ■ ■ ■

나에게 의존해 사는 인생은 영광스러운 모험이다.
사람들은 대부분 자신의 힘과 능력으로 뭔가를 이뤄
내려 노력한다. 크게 성공하는 사람도 있고, 처참하게
실패하는 사람도 있지. 어느 쪽이든 삶이 뜻하는 바를
놓치는 것이니, 곧 삶과 일에서 나와 함께 협력하는
일이다.

기쁨 가득한 기대로 하루를 시작하면서 오늘 내가
할 일에 주의를 기울여라. 나에게 네 약함을 의뢰하면
나와의 연결이 굳건해지지. 그러니 네 약함을 내가 준
선물로 여기거라. 네 계획을 조심스럽게 유지하되 내
계획이 훨씬 뛰어남을 기억해라. 신중히 살고 행동하
고, 내 안에 거하면서 내가 네 안에서 살기를 갈망해
라. 내가 네 안에, 네가 내 안에 있는 삶, 이게 바로 너
에게 제안하는 친밀한 모험이다.

하나님은 무질서의 하나님이 아니시요
오직 화평의 하나님이시니라
모든 성도가 교회에서 함과 같이(고전 14:33).

■■·■·■

내 임재의 이슬이 네 생각과 마음을 새롭게 하도록
해라. 복잡한 이 세상에는 많은 일들이 네 관심을 끌
기 위해 경쟁을 벌인다. 너희는 가만히 있어 내가 하
나님 됨을 알라고 처음 명령한 이후 세상은 크게 변화
했지. 하지만 시간을 초월하는 이 명령은 네 영혼의
행복을 위해 반드시 필요하단다. 고요한 가운데 묵상
하며, 내 영으로 네 안에 생기를 불어넣어라.

새롭게 활력을 찾은 마음은 중요한 일과 그렇지 않
은 일을 구분할 수 있다. 진흙탕에서 헛돌기만 하는
자동차 바퀴처럼 생각의 톱니바퀴에 있는 톱니들은
네가 사소한 일에 초점을 맞출 때는 잘 맞물리지 않는
다. 그 문제를 나에게 고백하면 그제야 생각이 힘을
얻어 좀 더 중요한 문제를 고민하게 되지. 나에게 모
두 털어놓아라. 네 생각에 내 생각을 넣어 주마.

예수께서 또 말씀하여 이르시되
나는 세상의 빛이니 나를 따르는 자는
어둠에 다니지 아니하고
생명의 빛을 얻으리라(요 8:12).

■■■■■■

너는 내 곁에 가까이 있을 때 안전하단다. 내 임재의 친밀함 속에서 너는 힘을 얻는다. 네가 세상 어떤 곳에 있든지 내가 가까이 있음을 인식하면 너는 내게 속해 있단다. 타락한 이후 인간은 오직 내 임재만이 채울 수 있는 따분한 공허함을 경험해 왔지. 너는 창조주와 친밀하게 소통하도록 지음 받았다. 사탄이 아담과 하와를 속이기 전에 그들과 함께 에덴 동산에서 산책하는 일은 내게 참으로 큰 기쁨이었단다.

네 마음의 에덴 동산에서 나와 함께 소통하면 너와 나 둘 다에게 기쁨이 된다. 나는 이 세상에서 이렇게 너를 통해 산다. 우리가 함께 어둠을 뒤로 밀쳐 내자. 나는 세상의 빛이기 때문이다.

사람이 친구를 위하여 자기 목숨을 버리면
이보다 더 큰 사랑이 없나니(요 15:13).

■■■■■■

나는 너의 왕이요, 가장 친한 친구다. 사는 동안 내
손을 잡고 가렴. 우리는 매일 무슨 일이 생기든 함께
할 것이고, 기쁨, 고난, 모험, 실망도 함께하게 될 거
다. 나와 함께하면 헛된 일은 없어서 다 타 버린 재에
서도 아름다움을 끌어낼 수 있단다. 슬픔에서 기쁨을,
환난에서 평안을 찾아내는 능력이 내게는 있다. 만왕
의 왕이면서 동시에 친구인 나만이 이 신성한 연금술
을 행할 수 있지. 나와 같은 이는 없다.

내가 건네는 우정은 실제적이며, 하늘의 영광으로
가득하다. 네 중심에 내가 있으면 너는 보이는 세계와
보이지 않는 영원한 현실의 영역 두 곳에서 모두 살
수 있다. 내가 너에게 능력을 주었기에 너는 먼지 나
는 이 땅의 삶을 사는 동안 나를 의식할 수 있단다.

끝으로 너희가 주 안에서와
그 힘의 능력으로 강건하여지고(엡 6:10).

■ ■ ■ ■ ■ ■

모든 일을 내게 의존해라. 나와 별개로 행동하고자
하는 욕구는 교만에 뿌리를 두는 거란다. 자기 만족은
교묘해서 의식하지 못하는 사이에 자꾸만 그곳에 마
음을 빼앗긴단다. 하지만 나를 떠나서는 아무 일도 할
수 없으니, 곧 영원한 가치를 갖는 일을 하기란 불가
능하지.

모든 상황에서 나를 의지하렴. 이 목적을 이루기 위
해 나는 하늘과 땅이라도 움직이지만, 네가 반드시 이
훈련에 협력해야 가능하단다. 네 자유 의지를 부정하
고 힘으로 너를 압도해 버린다면 너를 가르치는 일은
간단하다. 그러나 너를 향한 내 사랑이 너무 크기 때
문에 내 형상을 지닌 너에게 부여한 특권을 빼앗을 수
없구나. 항상 나를 의지함으로 네 자유를 지혜롭게 사
용해라. 그러면 내 임재와 평안을 누릴 수 있단다.

이는 그리스도 예수 안에 있는
생명의 성령의 법이 죄와 사망의 법에서
너를 해방하였음이라(롬 8:2).

■ ■ ■ ■ ■

너를 비추는 내 임재의 따스함을 누려라. 내 사랑의
빛이 네 얼굴을 어루만지는 감촉을 느껴라. 나는 네가
상상하는 이상으로 너로 인해 기뻐한단다. 너는 내 공
의를 덧입었으며, 그리스도 예수 안에 있는 자에게는
결코 정죄함이 없다. 때문에 나는 그리스도인 사이에
서 동기를 부여하는 수단으로 죄의식을 자극하는 일
을 혐오한다.

성도들을 자극해 일하게 하려고 죄의식을 불러일으
키는 설교를 하는 목사들이 있다. 죄의식을 부채질하
는 설교는 성도의 마음에 있는 은혜의 기초를 손상시
킨다. 성도들이 일하는 것을 보고 목회자 자신은 성공
했다고 느낄지 모르지만, 나는 성도의 마음을 살핀단
다. 나는 내 완전한 사랑을 확증하며 네가 편히 쉬기
를 원한다. 내가 네 죄를 다 지지 않았느냐?

이는 내가 그 피곤한 심령을 상쾌하게 하며
모든 연약한 심령을 만족하게
하였음이라 하시기로(렘 31:25).

■ ■ ■ ■ ■

오늘 하루를 그대로 받아들여라. 하루의 환경과 더
불어 네 몸의 상태 또한 포함해서 말이다. 네 역할은
나를 절대적으로 신뢰함으로 내 주권과 신실함 안에
서 쉬는 일이다.

해야 할 일이 네 힘에 부친다 싶을 때는 환경을 탓하
고, 몸 상태를 핑계대곤 하지. 그럴 때 포기하거나 나
를 의지하는 것 중에 하나를 선택할 수 있단다. 설사
네가 잘못해서 포기하기로 선택해도 나는 너를 거부
하지 않는단다. 언제라도 나에게 돌아올 수 있고, 그
렇게 하기만 하면 나는 네가 그 좌절의 수렁에서 빠져
나올 수 있도록 도울 거다. 그리고 내 힘을 순간순간
너에게 불어넣어 네가 오늘 하루 필요로 하는 모든 것
을 줄 거란다. 너에게 능력 주는 내 임재에 의존함으
로 나를 신뢰해라.

여호와여 주의 도를 내게 보이시고
주의 길을 내게 가르치소서
주의 진리로 나를 지도하시고 교훈하소서
주는 내 구원의 하나님이시니
내가 종일 주를 기다리나이다(시 25:4-5).

■ ■ ■ ■ ■

신뢰의 길을 따라 나와 동행해라. 인생의 한 지점에서 다른 지점으로 가는 가장 똑바른 길은 흔들림 없이 나를 신뢰하는 길이다. 믿음이 흔들리면 정해진 길에서 벗어나게 마련이지. 결국에는 목표 지점에 이르겠지만, 소중한 시간과 에너지를 낭비해야 한다. 신뢰의 길에서 멀어졌음을 깨달으면 즉시 나를 바라보고 "예수님, 당신을 신뢰합니다."라고 고백하렴.

불신의 길을 따라 더 멀리 방황할수록 내가 너와 함께함을 기억하는 일이 어려워진다. 불안한 생각의 가지가 사방으로 펼쳐지면서 내 임재의 인식에서 점점 더 멀어지지. 나를 향한 신뢰를 말로 자주 표현할 필요가 있다. 이 단순한 믿음의 행동이 나와 함께 곧은 길을 따라 걷게 해준다. 마음을 다하여 나를 신뢰하면 나는 네 길을 지도할 거란다.

산들이 떠나며 언덕들은 옮겨질지라도
나의 자비는 네게서 떠나지 아니하며
나의 화평의 언약은 흔들리지 아니하리라
너를 긍휼히 여기시는 여호와께서
말씀하셨느니라(사 54:10).

■ ■ ■ ■ ■

나는 늘 너와 함께 시간을 보내고 싶단다. 네가 나를
구원자로 신뢰하기만 하면 나는 결코 너에게서 멀어
지지 않는다. 때로 내게서 멀리 떨어진 것처럼 느낄
수도 있다. 그러나 느낌일 뿐이라는 걸 인식하고 사실
과 혼동하지 마라. 성경 곳곳에 언제나 내가 너와 함
께한다는 약속이 있지 않느냐.

야곱이 집을 떠나 알지 못하는 곳으로 여행할 때 나
는 그에게 내가 너와 함께 있어 네가 어디로 가든지
너를 지키리라고 확증해 주었다. 나를 따르던 제자들
에게도 세상 끝날까지 함께 있으리라 약속했다. 변함
없는 내 임재를 확증하는 이 약속으로 인해 기뻐하며
평안을 누려라. 이 세상의 삶에서 아무리 많은 것을
잃는다 해도 나와의 관계는 결코 놓치지 않는다.

나는 비천에 처할 줄도 알고
풍부에 처할 줄도 알아 모든 일 곧
배부름과 배고픔과 풍부와 궁핍에도
처할 줄 아는 일체의 비결을 배웠노라(빌 4:12).

■■■■■■

내 안에서 항상 기뻐해라! 무슨 일이 일어나든 우리
사랑의 관계 안에서 기뻐할 수 있다. 어떤 상황에서도
자족하는 비밀이 여기에 있지. 많은 사람들이 마침내
자신들이 행복해질 날을 꿈꾸지. 빚을 다 갚고, 자녀
들의 문제가 해결되고, 여가를 더 즐길 수 있기를 꿈
꾼단다. 이처럼 헛된 꿈을 꾸는 동안 그들의 소중한
시간은 넘어진 병에서 흘러나와 버려지는 값비싼 향
유처럼 땅 속으로 사라져 버리지.

미래의 행복에 대한 환상에는 결코 만족함이 없으니
환상은 현실이 아니기 때문이다. 나는 눈에 보이지 않
지만, 네가 볼 수 있는 주변 세상보다 훨씬 실재적이
란다. 매 순간을 내게 가져오면 생생한 기쁨으로 채울
거다. 지금 이 순간이야말로 내 임재 안에서 기뻐할
때다!

우리의 싸우는 무기는
육신에 속한 것이 아니요
오직 어떤 견고한 진도
무너뜨리는 하나님의 능력이라
모든 이론을 무너뜨리며(고후 10:4).

■ ■ ■ ■ ■

내 평안을 받아라. 이 평안은 내가 끊임없이 건네는
선물이다. 이 선물을 받고 싶으면 잠잠한 가운데 나를
묵상하며 네 삶의 모든 영역에서 나를 신뢰해라. 잠잠
히 신뢰하면 네가 상상하는 그 이상을 네 안에서뿐 아
니라, 이 세상과 천국에서 이루어낸다.

나하고만 시간을 보내는 일은 힘든 훈련일 수 있는
데, 분주함에 중독된 이 시대의 성향을 거스르기 때문
이지. 아무 일도 하지 않는 것처럼 보일 수도 있지만,
실제로 너는 영적인 영역에서 벌어지는 전투에 참가
하는 거란다. 전쟁을 벌이고 있지만, 육신에 속한 무
기가 아니라 오직 어떤 견고한 진도 무너뜨리는 하늘
의 무기로 싸우지. 내 곁에 가까이 사는 것이 사탄을
대항하는 가장 확실한 방법이란다.

비판을 받지 아니하려거든
비판하지 말라(마 7:1).

■■■■■

내게로 와서 쉬어라. 습관적으로 판단하는 일을 잠
시 멈춰라. 이런저런 상황에 대해, 이런 모습 저런 모
습의 사람들을, 심지어는 날씨에 대해 판단하는 네 모
습을 보니 마치 판단하기 위해 태어난 듯 싶구나. 얘
야, 나는 네가 무엇보다 먼저 나를 알아 나와 함께 풍
성하게 소통하면서 살라고 너를 창조했단다.

나와의 관계를 피조물과 창조주, 양과 목자, 백성과
왕, 진흙과 토기장이의 관계로 생각하렴. 네 인생에서
내가 일하는 방식을 판단하는 대신 감사하면서 받아
들여라. 너에게 건네는 친밀함은 네가 나와 동등한 것
처럼 행동하라는 초대가 아니다. 만왕의 왕으로 나를
예배하며, 내 손을 잡고 네 인생길을 나와 함께 걸어
가렴.

그러므로 형제들아
내가 하나님의 모든 자비하심으로 너희를 권하노니
너희 몸을 하나님이 기뻐하시는 거룩한 산 제물로 드리라
이는 너희가 드릴 영적 예배니라(롬 12:1).

■ ■ ■ ■ ■

내 곁에 가까이 거함으로 나를 예배하렴. 이것이 인간을 향한 나의 원래 계획으로 그들에게 내 생명의 숨을 불어넣었다. 이것은 너를 향한 내 계획이니 인생길을 걷는 동안 내 가까이 머물러라.

매일매일은 이 여정에서 중요한 부분이다. 이 땅에서의 삶이 도무지 아무런 진척이 없는 듯 느껴지느냐? 영적인 여정은 전혀 다른 문제로, 가파르고 험난한 길이 펼쳐지는 모험의 길을 따라 너를 데려간단다. 그래서 장애물에 걸려 넘어지지 않으려면 날마다 나와 친밀한 교제를 나누어야 한단다. 내 곁에 가까이 머무는 일은 너 자신을 산 제물로 드리는 행위다. 하루 중 가장 평범한 일상조차도 거룩하고 나를 기쁘게 하는 영적인 예배임을 기억해라.

여호와는 그의 얼굴을 네게 비추사
은혜 베푸시기를 원하며(민 6:25).

■■■■■

내 자녀야, 내 안에서 쉬어라. 나와 함께하는 시간은
스트레스 없이 평안해야 한다. 내게 사랑받기 위해 탁
월하지 않아도 된다. 나는 무한히 무조건적으로 너를
사랑한다. 내 자녀가 사랑을 얻고자 더 열심히 노력하
지만, 결국 사랑받을 만하지 못하다고 느끼는 모습이
나를 얼마나 슬프게 하는지 모른다.

나를 향한 너의 헌신이 또 다른 형태의 일이 되지 않
도록 경계해라. 네가 기쁨과 확신에 차 내 임재 가운
데 나오기를 원한다. 두려워할 이유가 없으니 내 공의
로 덧입었기 때문이다. 너를 바라보는 내 눈에서 정죄
함은 찾을 수 없으며, 오직 내가 바라보는 이를 향한
사랑과 기쁨만이 있을 뿐이다. 내 얼굴을 너에게로 향
하여 들 때 주는 평강이 바로 축복이다.

사람이 만일 온 천하를 얻고도
자기 목숨을 잃으면 무엇이 유익하리요(막 8:36).

■ ■ ░ ░ ■

나와 연합해 살도록 너를 지었다. 이 연합은 네 존재
를 부정하지 않고, 실제로 네가 보다 전적으로 본연의
모습이 되게 해준다. 나와 무관한 것처럼 살려고 하면
공허해지고 불만만 생긴단다. 온 천하를 얻을지는 몰
라도 가장 중요한 모든 것을 잃고 말지.

나와 가까이 사는 인생을 통해 충만함을 찾고, 너를
향한 내 목적에 순종해라. 너에게는 낯설게 보이는 길
로 내가 인도할지라도 내 능력을 신뢰해라. 전심으로
나를 따르면 이전에는 감추어졌던 너의 국면들을 찾
게 된다. 나는 네가 스스로를 아는 것보다 훨씬 더 세
밀하게 너를 안다. 나와 연합하면 부족함이 없다. 나
와 친밀할 때 너는 내가 창조한 모습으로 더욱더 변화
한단다.

네 길을 여호와께 맡기라
그를 의지하면 그가 이루시고(시 37:5).

■ ■ ▪ ▪ ▪ ▪

많은 계획을 세운다고 평안을 찾지 못한다. 미래에
일어날 일을 통제하려는 노력으로는 결코 평안해지지
않는다. 흔히 불신은 이런 형태로 나타나지. 그럴 듯
한 계획을 세우면 곧 평안을 손에 잡을 수 있을 것처
럼 보인다. 하지만 언제나 교묘하게 네 손에서 빠져나
가고 말지. 모든 가능성에 대비했다고 생각한 바로 그
순간, 뭔가 예상하지 못한 일이 터지면서 상황은 혼란
스러워진다.

나는 미래의 일을 생각해 내라고 네 마음을 설계하
지 않았다. 그 일은 네 능력 밖이요, 나와 지속적으로
소통하라고 네 마음을 만들었단다. 네 모든 필요, 소
망, 두려움을 내게 가져와라. 모든 일을 나의 돌보는
손길에 맡겨라. 계획하며 사는 길을 떠나 평안의 길로
와라.

무슨 일을 하든지 마음을 다하여 주께 하듯 하고
사람에게 하듯 하지 말라(골 3:23).

■ ■ ■ ■ ■ ■

나를 기쁘게 하고자 노력해라. 이 목표가 오늘 하루
를 사는 동안 네 중심이 되도록 하렴. 그런 마음가짐
은 에너지를 헛되이 쓰지 않도록 너를 보호해 주지.
너에게 준 자유 의지에는 큰 책임이 있단다. 너는 매
일 수많은 선택을 마주하게 된다. 그중 많은 수를 너
는 무시하고 결정하지 않는데, 이는 선택하지 않은 결
과를 선택하는 셈이다. 너를 인도해 줄 중심이 없이는
길을 잃기가 쉬우니, 나와 소통하며 내 임재를 감사히
의식하면서 사는 태도가 매우 중요한 거란다.

일관성 없는 타락한 세상에서 살다 보면 항상 일이
여기저기서 잘못될 수밖에 없단다. 오직 나와의 활기
찬 관계만이 너 역시 흐트러지는 것을 막는다.

이 세상이나 세상에 있는 것들을 사랑하지 말라
누구든지 세상을 사랑하면 아버지의 사랑이
그 안에 있지 아니하니(요일 2:15).

■ ■ ■ ■ ■ ■

네 마음의 통치권을 두고 큰 싸움이 펼쳐진다. 세
상을 잊고 내 임재에 초점을 맞추면 하늘의 영역에서
나와 함께 앉는 즐거움을 누릴 수 있단다. 내 얼굴을
구하는 귀한 자들을 위해 준비한 놀라운 특권이지. 너
의 가장 큰 힘은 나와 교제하며 시간을 보내고자 하는
욕구다. 내게 집중하면 나의 영이 생명과 평안으로 네
마음을 채운단다.

세상은 네 생각이 낙심하게끔 영향력을 행사한다.
미디어는 너에게 탐욕, 욕정, 그리고 냉소주의를 쏟아
붓지. 이런 일들을 마주하면 보호해 달라고, 분별력을
달라고 기도하려무나. 이 세상의 황무지를 건너는 동
안 지속적으로 나와 교제해라. 걱정을 털어 버리고 깨
어서 네 마음에서 일어나는 전투를 인식해라. 갈등 없
이 사는 영원을, 천국에 너를 위해 마련된 그곳을 바
라보아라.

사람의 걸음은 여호와로 말미암나니
사람이 어찌 자기의 길을 알 수 있으랴(잠 20:24).

■ ■ ■ ■ ■

사물을 점점 더 내 관점에서 보려고 노력해라. 내 임
재의 빛이 네 마음을 가득 채워서 나를 통해 세상을
보도록 해라. 사소한 일들이 네가 바라는 대로 이루어
지지 않을 때는 낙천적인 마음으로 나를 바라보며 "뭐
어쩔 수 없죠."라고 고백하렴. 이 간단한 훈련으로 사
소한 염려와 좌절이 쌓이고 쌓여 무겁게 너를 짓누르
는 일이 없도록 예방할 수 있단다.

이 훈련을 거듭하면 어떤 문제가 닥쳐도 당황하지
않고, 네 중심을 다시 내게 가져와 가벼운 발걸음과
기쁜 마음으로 걷게 되지. 정말 심각한 문제를 대비해
힘을 더 많이 비축하는 셈이란다. 네가 받는 환난은
그 환난을 통해 성취되는 영원한 영광에 비하면 잠시
뿐이며, 경하다고 고백한 사도 바울의 경지에 이를 수
도 있단다.

273

또 지진 후에 불이 있으나 불 가운데에도
여호와께서 계시지 아니하더니
불 후에 세미한 소리가 있는지라(왕상 19:12).

■■■■■

네 존재의 깊은 곳에서 내 생각이 형성되는 동안 나의 임재 속에서 조용히 기다려라. 이 과정을 성급하게 닦달해서는 안 된다. 서두르면 마음이 땅에 매이기 때문이다. 전 우주의 창조자인 내가 네 마음속 소박한 곳에 거할 곳을 마련하기로 선택했다. 그리하여 네가 나를 가장 친밀히 알 수 있는 곳은 바로 그곳이며, 거룩한 속삼임으로 나에게 말 건네는 곳도 바로 네 마음속이다.

내 영에게 마음을 잠잠히 해달라고 구해서 네 안에 있는 내 세밀한 소리를 들어라. 나는 계속해서 너에게 말하고 있으니 곧 생명의 말, 평안의 말, 사랑의 말이란다. 네 마음이 이 풍성한 복의 메시지를 받도록 조율하렴. 나에게 기도하고 바라렴.

여호와는 나의 힘이요 노래시며 나의 구원이시로다
그는 나의 하나님이시니 내가 그를 찬송할 것이요
내 아버지의 하나님이시니 내가 그를 높이리로다(출 15:2).

■■■■■■

나를 신뢰하고 염려를 내려놓아라. 다가올 일을 바라보며 미리 염려하지 말아라. 그 문제는 오늘 해야 할 일이 아니니 그 문제들은 미래에 내버려 두고, 현재로 돌아와서 너를 기다리는 나를 만나렴. 나는 네 힘이기 때문에 각각의 문제가 너에게 닥칠 때 그 일을 감당할 힘을 준단다. 나는 네 노래이기에 나와 함께 일할 때 너에게 기쁨을 준단다.

내가 창조한 모든 피조물 가운데 오직 인간만이 미래의 일을 기대할 수 있다. 이 능력은 축복이지만 잘못 사용하면 불신앙이라는 저주가 되지. 단, 천국은 미래의 일이지만 동시에 현재 시제로 존재한다. 나와 함께 빛 가운데로 걸으면 한 발은 이 땅 위에, 다른 한 발은 천국에 둔다.

날마다 우리 짐을 지시는 주
곧 우리의 구원이신 하나님을
찬송할지로다(시 68:19).

■ ■ ■ ■ ■

자유로이 용서하면서 나와 함께 걸어라. 우리가 함께 걷는 길은 때로 가파르고 미끄럽지. 등 뒤에 죄라는 짐을 지면 넘어지고 쓰러질 수밖에 없다. 네가 요청하면 너에게서 그 무거운 짐을 거두어 십자가 아래에 묻는다. 내가 네 짐을 벗기면, 너는 부인할 수 없이 명백하게 자유로워지지.

내 임재 가운데 똑바로 곧게 서서 어느 누구도 네 등에 짐을 지우지 못하게 하렴. 내 얼굴을 바라보고 내 사랑의 빛이 너에게 비추는 온기를 느껴라. 바로 이 무조건적인 사랑이 너를 두려움과 죄로부터 자유롭게 한다. 내 임재의 빛을 쪼이는 데 시간을 써라. 나를 더욱 친밀히 알아 갈수록 놀랍게 자유로워진단다.

내가 여호와를 항상 내 앞에 모심이여
그가 나의 오른쪽에 계시므로
내가 흔들리지 아니하리로다(시 16:8).

■■■■■

다른 무엇보다도 내 임재 앞에서 살아라. 점차적으로 네 주변 사람이나 처한 장소보다도 나를 더욱 의식하게 될 거다. 나를 인식한다고 해서 다른 사람들과의 관계에서 멀어지지 않는단다. 오히려 타인을 사랑하고 격려할 수 있는 능력이 더욱 커지지. 고난 속에서도 쉽사리 흔들리지 않게 될 거다. 그건 너를 둘러싸는 내 임재가 문제가 일으키는 충격에서 보호하기 때문이다.

이 길이야말로 내가 네 앞에 놓아 주는 길이다. 전심으로 따르면 너는 풍성한 생명과 평안을 경험하게 될 거다.

사람을 두려워하면 올무에 걸리게 되거니와
여호와를 의지하는 자는 안전하리라(잠 29:25).

■ ■ ■ ■ ■

나를 신뢰해라. 인생 여정의 모든 걸음을 믿음으로
뗄 수 있단다. 큰일을 하려면 나에게 완전히 헌신해야
할 뿐 아니라, 순전하게 집중해야 한다.

내 자녀는 각자 독특한 기질, 은사, 그리고 삶의 경
험을 갖는다. 너에게는 아기 걸음마와 같은 일이 다른
이에게는 크게 내딛는 걸음일 수 있고, 그 반대도 있
을 수 있지. 네가 내디딘 큰 믿음의 행보를 통해 다른
사람들에게 강한 인상을 주려는 노력을 경계해라. 너
에게는 쉽게 보이는 일 앞에서 두려움으로 망설이는
사람들을 판단하지 마라. 다른 무엇보다도 나를 기쁘
게 하고자 한다면 다른 사람들의 판단을 두려워하는
마음도, 그들에게 강한 인상을 남기려는 시도도 사라
질 거다. 네 앞에 놓인 길과 결코 네 곁을 떠나지 않는
이에게 마음을 집중해라.

예수께서 다시 크게 소리 지르시고 영혼이 떠나시니라
이에 성소 휘장이 위로부터 아래까지 찢어져 둘이 되고
땅이 진동하며 바위가 터지고(마 27:50-51).

■ ■ ■ ■ ■ ■

내게 와서 들어라! 내 목소리에 귀 기울여 부요한 복
을 받아라. 편안히 집에 앉아서 우주의 창조주와 소통
하는 경이로움에 감탄해라. 땅을 통치하는 왕들은 사
람들의 접근을 쉬이 허락하지 않기 때문에 평범한 사
람들은 그들을 알현하지 못하지. 고위 관리들조차도
왕족과 이야기하기 위해서는 까다로운 형식과 의전
절차를 통과해야 한다.

나는 우주의 왕이지만 얼마든지 네가 가까이할 수
있으며, 네가 가는 곳은 어디든 내가 함께한다. 내가
십자가에서 "다 이루었다!"고 외쳤을 때 성소의 휘장
이 위로부터 아래로 찢어져 둘이 되었다. 이로써 네가
의전이나 사제 없이 나를 직접 대면해 볼 수 있는 길
이 열렸다. 왕 중의 왕인 내가 너의 영원한 친구다.

내가 산 자들의 땅에서 여호와의 선하심을
보게 될 줄 확실히 믿었도다(시 27:13).

■ ■ ■ ■ ■

내 영원한 팔에서 쉬어라. 너의 약함은 내 전능한 임
재를 인식함으로 강해질 수 있는 기회다. 힘이 부족할
때, 내면을 들여다보고 발견하는 부족함으로 인해 한
탄하지 마라. 나와 내 풍족함을 바라보고 밝게 빛나는
나의 부요함으로 인해 기뻐할 것은 너를 돕기에 풍족
하기 때문이다.

이 하루를 신중하게 걸으며, 나를 의지하고 내 임재
를 기뻐해라. 너의 필요로 인해 내게 감사해라. 우리
사이를 신뢰의 결속감으로 이어 주기 때문이다. 이제
까지 걸어온 길을 뒤돌아보면 네가 매우 약했던 시절
이 가장 소중한 시간이었음을 알 수 있다. 이 시절에
대한 추억은 나의 친밀한 임재라는 황금실로 아름답
게 짜여 있단다.

우리에게 있는 대제사장은
우리의 연약함을 동정하지 못하실 이가 아니요
모든 일에 우리와 똑같이 시험을 받으신 이로되
죄는 없으시니라(히 4:15).

■ ■ ■ ■ ■ ■

네 생각과 마음을 다해 내 사랑을 최대한 받아라. 너
무나 많은 나의 자녀들이 사랑을 받는 기술을 배우지
못해 인생을 살면서 사랑에 굶주려 절뚝거리는구나.
내가 무한하고 영원한 사랑으로 너를 사랑하노니, 너
는 그저 믿기만 하면 된단다.

사탄은 거짓의 아비임을 기억해라. 그의 거짓된 생
각이 네 생각을 파고들거든 과감히 물리쳐라. 사탄은
무조건적인 내 사랑을 의심하게 만든다. 이 거짓에 대
항해 싸워라! 아무런 저항 없이 이 생각을 받아들이지
마라. 마귀를 대적해라. 그러면 너를 피하리라. 하나
님을 가까이해라. 그러면 내 임재가 사랑으로 너를 뒤
덮으리라.

내가 주께 감사하옴은
나를 지으심이 심히 기묘하심이라.
주께서 하시는 일이 기이함을
내 영혼이 잘 아나이다(시 139:14).

■ ■ ■ ■ ■

나는 너와 함께하며 네 주변을 황금 빛줄기로 둘러싸고 있다. 언제나 네 얼굴을 대면하여 바라본다. 네생각 중에서 내가 알지 못하는 단편은 하나도 없단다. 나는 무한하기에 너와 내가 마치 우주에서 유일한 존재인 것처럼 너를 사랑할 수 있다.

나는 너의 친밀한 친구이자 최고 통치자가 되길 원한다. 네 두뇌를 지을 때 나를 친구이면서 동시에 주인으로 알 수 있는 능력을 부여했단다. 인간의 이성은내 모든 창조의 정점인데, 나를 알기 위해 이성을 사용하는 사람은 너무나 적구나. 나는 지속적으로 내 영과 성경을 통해, 그리고 내가 지은 창조 세계를 통해서 너와 교통한단다. 오직 인간만이 나를 받아들여서내 임재에 반응할 수 있는 능력이 있다. 너는 심히 기묘하게 지음 받았단다.

그러므로 내일 일을 위하여 염려하지 말라
내일 일은 내일이 염려할 것이요
한 날의 괴로움은 그날로 족하니라 (마 6:34).

■ ■ ■ ■ ■

나는 영원히 너와 함께 있어 너를 돌본다. 나는 시간
과 장소에 구애를 받지 않기 때문에 너와 함께하는 나
의 임재는 영원하단다. 네 미래는 내 손에 있고, 나는
하루하루 매 순간 그 미래를 너에게 넘겨 준단다.

삶의 하루하루는 영광스러운 선물이건만 소수의 사
람들만이 하루의 범위 안에서 사는 법을 알고 있구나.
많은 사람들이 과거 일을 후회하고 미래를 염려하며
계획하는 일에 에너지를 소진해 버린다. 그렇다 보니
에너지가 얼마 남지 않아 오늘을 간신히 절뚝거리며
살아내는구나. 현재를 바라보고, 내게 맞춘 초점을 흩
뜨리지 말아라. 이리하여 내 은혜의 보좌에서 자유로
이 흘러나오는 풍성한 생명을 받아라.

하나님은 복되시고 유일하신 주권자이시며
만왕의 왕이시며 만주의 주시요 오직 그에게만
죽지 아니함이 있고 가까이 가지 못할 빛에 거하시고
어떤 사람도 보지 못하였고 또 볼 수 없는 이시니
그에게 존귀와 영원한 권능을 돌릴지어다(딤전 6:15-16).

■ ■ · ■ ■

만왕의 왕이며 만주의 주인 내가 너를 돌본다. 너를
돌보는 일에 열심을 낼 뿐 아니라, 그렇게 할 수 있는
전적인 능력이 있다. 지친 나의 자녀야, 내 안에서 편
히 쉬는 게 바로 예배의 한 모습이란다.

자신이 마치 경주마라도 되는 듯 채찍질로 몰아가는
내 자녀들이 너무 많다. 지친 자신은 살피지도 않은
채 그저 열심히 움직이는구나. 내가 주권자이며 내 길
이 그들의 길보다 높음을 잊어버린 탓이지. 그러면서
속으로는 나를 혹한 감독관이라 여기며 분노할지도
모르겠구나. 이제 더 이상 나는 그들의 첫사랑이 아니
기 때문에 그들의 예배에는 열정도 없다. 나의 초대는
결코 변하지 않는다. 내 임재 안에서 평안히 쉼으로
나를 예배해라.

너희에게는 심지어 머리털까지도
다 세신 바 되었나니 두려워하지 말라
너희는 많은 참새보다 더 귀하니라(눅 12:7).

■ ■ ■ ■ ■

너와 나 사이의 친밀함을 결코 당연시하지 마라. 인간이 아무리 열렬하게 너를 사랑해도 언제나 너와 함께하지는 못한다. 또한 다른 사람은 네 마음, 생각, 그리고 영혼의 은밀함을 알지 못한다. 하지만 나는 너의 머리털이 몇 개인지도 다 안단다. 그러니 너를 내게 알리려 애쓰지 않아도 된다.

평생을 바치거나 상당한 돈을 써 가면서 자신을 이해해 줄 사람을 찾는 사람이 많단다. 그런데 내 이름을 부르는 자, 곧 나를 구원자로 그 마음을 열어 받는 자는 거칠 것 없이 나를 만날 수 있다. 이 단순한 믿음의 행위는 일생 동안 지속될 사랑 이야기의 시작이다. 네 영혼을 사모하는 나는 너를 완벽하게 이해하며 영원히 사랑한단다.

나는 오직 주의 사랑을 의지하였사오니
나의 마음은 주의 구원을 기뻐하리이다(시 13:5).

■■■■■■

많은 일이 잘못되어 가는 듯 보일 때 나를 신뢰해라.
삶을 도무지 네 뜻대로 할 수 없다는 느낌이 커질 때
내게 감사해라. 이런 반응은 초자연적인 것으로 네가
처한 환경을 초월할 수 있게 해준다.

어려움에 직면했을 때 자연스럽게 흘러오는 대로
반응한다면 매사에 부정적이 되고 만단다. 처음에는
작았던 불평이 점점 늘어나고, 전보다 더 쉽게 입에서
터져 나온단다. 불평 하나하나가 계속해서 너를 낭떠
러지 아래로 밀어낸단다. 내 이름을 소리 질러 외쳐
라. 나를 믿고, 모든 일에 대해 감사해라. 그러면 너는
서서히 올려지고, 네가 처한 환경을 겸손한 시각으로
바라보게 될 거다. 더불어 이해할 수 없는 평안을 경
험하게 될 거다.

내가 아버지께 구하겠으니
그가 또 다른 보혜사를 너희에게 주사
영원토록 너희와 함께 있게 하리니(요 14:16).

■ ■ ■ ■ ■

나는 하늘과 땅의 창조주로, 이제도 있고 앞으로도 있을 모든 것의 주인이다. 나는 상상할 수 없을 정도로 광대하지만, 네 안에 거해서 나의 임재를 통해 너에게 스며들기로 선택했단다. 오직 영적인 영역에서만 무한하게 거대한 자가 지극히 작은 자 안에 살 수 있지. 네 안에 있는 나의 영이 갖는 능력과 영광에 경외감을 가져라.

무한한 성령이 너를 도울 것이다. 그는 언제나 기꺼이 도울 것이니 너는 오직 구하기만 하면 된다. 네 앞의 길이 쉽고 곧아 보일 때는 혼자 가고 싶은 생각이 들 수도 있다. 바로 이때가 넘어질 수 있는 가장 큰 위기다. 내 영에게 너의 모든 걸음을 도와달라고 구해라. 네 안에 있는 이 영광스러운 힘의 근원을 결코 무시하지 마라.

존귀와 위엄이 그의 앞에 있으며
능력과 즐거움이 그의 처소에 있도다(대상 16:27).

■■■■■

기쁨은 환경에 의해 결정되지 않는단다. 불행한 사
람들 가운데는 뭇사람들이 부러워하는 환경을 누리는
사람이 많단다. 사회적 경력으로는 최고층에 도달한
사람들이 자신들 앞에 놓여 있는 허무함을 발견하고
는 깜짝 놀라지. 진정한 기쁨은 내 임재 안에서 살 때
누리는 부산물과 같다. 그러므로 진정한 기쁨은 궁궐
이든, 감옥이든, 어디서나 경험할 수 있다.

오늘 하루 어려움이 있었다고 해서 기쁨이 없는 날
로 치부하지 마라. 대신 나와 계속해서 교통하는 일에
집중해라. 네가 신경 쓰는 대부분의 문제가 저절로 해
결된단다. 반드시 처리해야 하는 다른 문제들에 대해
서는 내가 너를 도우마. 인생 문제의 해결을 내 곁에
가까이 사는 일 다음의 이차적인 목표로 삼는다면 가
장 힘겨운 시절에도 기쁨을 찾을 수 있다.

이는 우리가 믿음으로 행하고
보는 것으로 행하지 아니함이로라(고후 5:7).

■ ■ ■ ■ ■ ■

내가 이끄는 곳은 어디든 기꺼이 따라오렴. 내가 주는 풍성한 복은 저기 굽어진 곳을 돌면 바로 있단다. 눈에 보이지는 않지만 그러나 분명히 실재하지. 이 선물을 받으려면 보는 것이 아니라 믿음으로 걸어야 한다. 네 주변 일에 눈을 감으라는 뜻이 아니다. 눈에 보이지 않는 네 영혼의 목자와 비교해 눈에 보이는 세상을 경시하라는 의미다.

이를 깨달음으로 너는 자유롭게 되어 내 임재의 기쁜 실재를 풍성하게 경험할 수 있다. 반짝이는 빛이 넘쳐나는 이 영광스러운 순간에 전적으로 몰두해라. 나는 결국 산 아래로 너를 이끌어 다른 사람들과 함께하는 공동체 속으로 인도할 거다. 사람들 속에서 다시 걸을 때 네 속에서 나의 빛이 계속 빛나도록 해주렴.

이날은 여호와께서 정하신 것이라
이날에 우리가 즐거워하고 기뻐하리로다(시 118:24).

■■■■■

내 음성을 들으려면 네 모든 염려를 나의 돌보는 손
길에 올려놓아야 한다. 너를 염려하게 만드는 모든 일
을 내게 맡겨라. 내면 깊숙이 감추어진 공포에서 너를
자유롭게 해라. 잠잠히 묵상함으로 나의 빛이 네 안에
스며들어 내면의 모든 어둠을 몰아내게 해주렴.

하루하루를 일어나는 그대로 받아들이되, 네 삶을
내가 다스린다는 사실을 기억해라. 내가 정한 이날에
즐거워하고, 하루 동안 내가 풍성하게 드러남을 믿어
라. 어떤 상황에 대해 유감스러워하거나 화를 내는 대
신 범사에 내게 감사해라. 나를 신뢰하고 두려워하지
말고, 감사하며 내 주권 안에서 편히 쉬어라.

옛적에 여호와께서 나에게 나타나사
내가 영원한 사랑으로 너를 사랑하기에
인자함으로 너를 이끌었다 하였노라(렘 31:3).

■■■■■■

영원한 사랑으로 내가 너를 사랑한다. 인간의 마음
으로는 내 일관성을 이해할 수 없단다. 감정은 다양한
환경 앞에서 깜박거리고 흐릿해지는데, 너는 그 변덕
스러운 감정을 내게 투사하는 경향을 보이지. 이런 까
닭으로 한결같은 내 사랑의 혜택을 네가 전적으로 누
리지 못하는 거란다.

너는 환경의 끝없는 변화 그 너머를 보면서, 사랑의
눈빛으로 너를 바라보고 있는 나를 발견할 수 있어야
한다. 내 임재를 인식하면 너는 강해지는데, 내 사랑
을 받고 거기에 반응하기 때문이다. 나는 어제나 오늘
이나 영원토록 동일하다. 내 사랑이 너에게 끝없이 흘
러들도록 해주렴. 내 사랑이 끝없이 너에게 흘러드는
것처럼 언제나 변함없이 너는 내가 필요하다.

모든 일을 원망과
시비가 없이 하라(빌 2:14).

■ ■ ■ ■ ■

오랫동안 오르막길을 여행한 뒤라 너에게는 힘이 거의 남아 있지 않구나. 때때로 흔들리기도 했지만 내손을 놓지 않았다. 내 곁에 가까이 머물고자 한 너의갈망이 나를 기쁘게 하는구나. 그러나 한 가지 너는아직도 불평을 버리지 못했구나. 우리가 함께 걷는 이길이 얼마나 어려운지, 곳곳에 스트레스가 얼마나 많은지 어느 누구보다도 더 잘 이해한단다. 내게 안전하게 의견을 표현할 수 있는 이유는 그렇게 함으로써 네생각을 진정시켜 주고 내 관점에서 상황을 이해할 수있도록 도와주기 때문이다.

하지만 애야, 다른 사람들에게 불평하는 일은 전혀다른 문제란다. 자기 연민과 분노라는 큰 죄로 치닫는길을 여는 셈이지. 불평하고 싶은 마음이 들 때는 내게로 와서 털어놓으렴. 나에게 드러내면 네 정신에 내생각을, 마음에 내 노래를 넣어 주마.

여호와를 의뢰하고 선을 행하라
땅에 머무는 동안 그의 성실을 먹을 거리로
삼을지어다(시 37:3).

■ ■ ■ ■ ■ ■

앞일을 예측하거나 통제하려 애쓰지 말고 나를 믿어
라. 미래에 자신을 투영하면서 이런저런 상황 속에서
어떤 행동과 말을 해야 할지 자꾸 예행 연습하는 일은
내 도움 없이도 충분하다고 주장하는 일이나 마찬가
지다. 이것은 미묘한 죄로, 너무 흔해서 죄인지도 알
아차리지 못하지.

대안은 전적으로 현재를 사는 방법으로, 매 순간 내
게 의존하면 된다. 지속적으로 도움을 구하도록 마음
을 훈련해서 설사 네 힘만으로도 감당하기 충분하다
고 느낄 때조차도 나에게 도움을 요청해라. 인생을 혼
자 할 수 있는 일과 내 도움을 요청해야 할 일로 구분
하지 말고, 대신 모든 상황 속에서 내게 의존하는 법
을 배워라. 이 훈련은 삶을 더욱 즐겁게 누릴 수 있도
록 해주며, 매일매일을 확신을 가지고 마주하도록 해
준다.

온갖 좋은 은사와 온전한 선물이 다 위로부터
빛들의 아버지께로부터 내려오나니
그는 변함도 없으시고
회전하는 그림자도 없으시니라(약 1:17).

■ ■ ■ ■ ■ ■

나는 네 모든 소망과 바람의 정점이다. 네가 나를 알기 전에는 나를 향한 갈망을 해로운 방식으로 표현했었다. 너는 주변 세상의 악에 매우 나약하단다. 하지만 이제 나의 임재는 안전하게 너를 보호하며 사랑의 팔로 너를 감싸 주지. 나는 너를 어두운 데서 불러내 놀라운 나의 빛 속으로 들어가게 했다.

네 손을 펼쳐 내가 주는 복을 받아라. 내가 주는 좋은 선물을 기뻐하되, 거기에 매달리지는 마라. 네 관심을 온갖 좋은 것을 주는 나에게로 돌리고, 네가 내 안에서 완전해진다는 사실을 깨달아 쉼을 누려라. 너에게 필요한 한 가지는 무슨 일이 있어도 잃을 수 없는 선물로, 너와 함께하는 내 임재다.

믿음이 없이는 하나님을 기쁘시게 하지 못하나니
하나님께 나아가는 자는 반드시 그가 계신 것과
또한 그가 자기를 찾는 자들에게
상 주시는 이심을 믿어야 할지니라(히 11:6).

■■■■■

다른 사람의 눈을 통해 스스로를 보지 않도록 경계
해라. 다른 사람들이 너를 실제로 어떻게 생각하는지
분별하기란 거의 불가능하다. 뿐만 아니라 너에 대한
타인의 시각은 각 사람의 영적, 정서적, 신체적 상태
에 따라 달라진단다. 다른 사람들이 네가 어떤 사람인
지 규정하도록 내버려 두는 일의 가장 큰 문제는 이
일이 우상 숭배에 가깝다는 점이다. 다른 사람들을 기
쁘게 하고자 하는 마음이 나를 기쁘게 하려는 욕구를
꺾기 때문이다.

너를 바라보는 내 시선은 안정되며 확실하고, 죄로
오염되지 않았다. 내 시선을 통해 너를 보면 깊이 있
게 영원히 사랑받는 존재인 너를 볼 수 있다. 사랑을
담아 너를 바라보는 내 시선에서 쉬면서 깊은 평안을
받아라.

여호와는 그 얼굴을 네게로 향하여 드사
평강 주시기를 원하노라 할지니라 하라(민 6:26).

■■·■■■

시간을 내어 내 임재 안에 잠잠히 거해라. 더 복잡한
상황이라고 느낄수록 나와 교제하는 신성한 공간이
더 필요하단다. 천천히 그리고 깊이 심호흡을 해라.
내가 얼굴을 너에게 비추는 동안 거룩한 내 임재 안에
서 쉬어라.

내 자녀가 스스로를 걱정의 매듭으로 옭아매어 내가
주는 평안의 선물을 무시할 때 내가 느낄 고통을 상상
해 보렴. 이 복을 너에게 확고히 해주고자 나는 범법
자의 형벌을 받아 죽었다. 감사함으로 이 선물을 받아
서 네 마음에 감추어 두렴. 내 평안은 내면의 보물로
서 나를 신뢰할 때 네 안에서 커진단다. 그래서 환경
은 그 평안에 손댈 수 없는 거란다. 잠잠히 있어 내 임
재 안에서 이 평안을 기뻐하렴.

이는 너희 믿음의 시련이
인내를 만들어 내는 줄 너희가 앎이라(약 1:3).

■ ■ ■ ■ ■

나를 위해, 내 이름으로 고통받을 준비를 해라. 모든 고통은 내 왕국에서 의미가 있다. 고통과 문제는 나를 향한 네 신뢰를 드러낼 기회다. 용감하게 환경을 견디고, 심지어 그로 인해 내게 감사하면 가장 고결한 형태의 찬양을 올리는 셈이다.

고통이 너를 치거든 내가 통치하며, 모든 것을 합하여 선을 이루는 자임을 기억하렴. 고통에서 도망치려고 하거나 문제에서 숨으려 하지 마라. 대신 고난을 내 이름으로 수용하면서 내 뜻을 위해 내게 바치렴. 그렇게 해서 네가 겪는 고통은 의미를 얻고, 너를 내게 가까이 이끈단다. 고난의 재를 뒤집어 쓴 네가 신뢰하고 감사할 때 기쁨이 온다.

믿음의 주요 또 온전하게 하시는 이인 예수를 바라보자
그는 그 앞에 있는 기쁨을 위하여 십자가를 참으사
부끄러움을 개의치 아니하시더니
하나님 보좌 우편에 앉으셨느니라(히 12:2).

■ ■ ■ ■ ■

오늘 하루를 사는 동안 계속해서 나를 의식하도록
노력해라. 하늘로 승천하기 전 마지막으로 내가 한 말
은, 내가 세상 끝날까지 너희와 항상 함께 있으리라는
내용이었다. 이 약속은 나를 따르는 모든 자들을 위한
것이다.

인생 여정에서 생각지도 못한 수많은 위험을 만날
거다. 네가 걸어야 하는 진실한 길에서 몇 발자국만
떨어지면 자기 연민과 절망, 높은 자만과 자아 의지라
는 함정이 도사리고 있단다. 내게서 눈을 떼고 다른
길을 따르면 큰 위험에 빠진다. 선한 의도를 지닌 친
구들이라도 네 삶에 있는 내 자리를 빼앗도록 내버려
두면 너를 그릇된 길로 인도할 수 있단다. 생명의 길
에 머물고 싶다면 나만 바라봐라. 그것이 최선의 보호
책이란다.

찬송하리로다 그는 우리 주 예수 그리스도의 하나님이시요
자비의 아버지시요 모든 위로의 하나님이시며
우리의 모든 환난 중에서 우리를 위로하사 우리로 하여금
하나님께 받는 위로로써 모든 환난 중에 있는 자들을
능히 위로하게 하시는 이시로다(고후 1:3-4).

■■■■■

나를 바라며 내게서 도움과 위로, 우정을 찾아라. 나
는 항상 네 곁에 있기 때문에 잠깐 눈길을 돌려도 나
를 쉽게 찾을 수 있단다. 나를 바라보며 도움을 구하
렴. 큰 문제에서뿐 아니라 사소한 일에서도 나와 동행
하면 영적으로 살아 있을 수 있다.

위로가 필요하면 내가 기꺼이 안아 주마. 너를 위로
할 뿐 아니라 다른 이들에게 위로가 흘러가는 통로가
되게 해주마. 그러면 너는 두 배의 복을 받게 되는데
생명력을 지닌 통로는 흘려 보내는 것을 또한 흡수하
기 때문이지. 내가 너와 항상 함께함은 가장 중요한
사실이며, 구원 축복의 최고봉이다. 삶에서 그 어떤
것을 잃는다 해도 이 영광스러운 선물을 빼앗을 자는
없다.

까마귀를 생각하라 심지도 아니하고 거두지도 아니하며
골방도 없고 창고도 없으되 하나님이 기르시나니
너희는 새보다 얼마나 더 귀하냐(눅 12:24).

■■■■■■

불안은 내가 없는 미래를 그린 결과다. 그렇기 때문에 걱정에 방어하는 최선의 방법은 나와 계속해서 소통하는 것이다. 생각을 내게로 향하면 훨씬 더 긍정적으로 생각할 수 있다. 말할 뿐 아니라 들으면서 너의 생각을 나와의 대화로 엮어라.

미래를 자꾸만 내다보지 말아라. 걱정은 네가 미래를 방황할 때 마구 생겨나기 때문이다. 지속적인 내 임재의 약속을 기억하고, 마음에 떠오르는 상상 속에 나를 포함시키렴. 물론 이런 정신적인 훈련이 쉽지 않다는 걸 안다. 네가 상상 속에서 신의 역할을 맡는 데 익숙하니까 말이다. 그러나 너와 함께하는 내 임재의 실재는 지금 이 순간 그리고 영원 동안, 감히 네가 상상할 수 있는 어떤 환상보다도 더 환히 빛난다.

나는 선한 목자라 나는 내 양을 알고 양도 나를 아는 것이
아버지께서 나를 아시고 내가 아버지를 아는 것 같으니
나는 양을 위하여 목숨을 버리노라(요 10:14-15).

■■■■■

오늘을 신중하게 살아내면서 시선을 내게 두렴. 나
를 믿고 내딛는 발걸음마다 내가 앞의 길을 열어 주
마. 때로 네 앞의 길이 막혀 버린 듯 보일 때도 있다.
길을 막고 있는 장애물에 집중하거나 돌아가는 길을
찾으려고 하면 길에서 벗어날 수밖에 없단다. 그러지
말고 네 인생 여정을 이끄는 내게 초점을 맞추렴. 그
러면 순식간에 장애물은 사라질 거란다.

내 왕국에서 성공하는 비밀이 바로 여기에 있다. 너
는 보이는 세계를 의식하기는 하지만, 무엇보다도 나
를 인식한다. 네 앞의 길이 험난해 보일 때, 거친 길을
지나게 해줄 나를 신뢰할 수 있다. 내 임재는 매일을
확신 있게 직면하도록 너에게 능력을 준단다.

너희는 내게 배우고 받고
듣고 본 바를 행하라
그리하면 평강의 하나님이
너희와 함께 계시리라(빌 4:9).

■■■■■■

경계심을 내려놓고 내게 와라. 내게는 숨기거나 감출 일이 없다. 이미 모든 것을 알고 있단다.

타락이 부른 끔찍한 결과 가운데 하나는 사람들이 자신과 타인 사이에 세운 정교한 장벽이란다. 허울은 세상에 넘쳐나서 심지어 내 몸 된 교회에서조차 만연하구나. 교회가 오히려 자신의 모습 그대로를 드러내지 못하는 곳이 되고 말았다. 사람들이 주일용 옷과 주일용 웃음으로 치장하고, 거짓 친교로 안도감을 느낀다.

이런 가식적인 분위기를 치유하는 최고의 해독제는 교회에서 내 임재를 연습하는 것이다. 나와 친밀하게 교제하고, 예배함으로 내게 영광을 돌리렴. 그러면 내가 주는 기쁨으로 다른 사람들에게 미소 짓고, 내가 주는 사랑으로 그들을 사랑할 수 있게 된단다.

내가 주께 감사하옴은
나를 지으심이 심히 기묘하심이라
주께서 하시는 일이 기이함을
내 영혼이 잘 아나이다(시 139:14).

■ ■ ■ ■ ■

나는 살아 있는 하나님이다. 나는 네가 아는 가장 활기 넘치는 사람보다 더 풍성한 생명력을 갖는다. 인간의 몸은 기묘하게 만들어졌지만 늙는 일은 피할 수 없지. 풍성한 삶을 지속하는 능력은 오직 내 안에만 있단다. 몸이 약하다고 걱정하지 마라. 그 약함은 네 안으로 나를 초대하는 전주곡이 된단다.

나를 네 안에 초대함으로써 내 생명은 점차 너의 생명과 함께 짜인단다. 노화 과정은 계속되지만 내적으로는 흐르는 세월과 함께 더욱 강해지지. 내 곁에 가까이 사는 자는 내적인 활력을 개발하기 때문에 보낸 세월에도 불구하고 젊고 생기 있게 보인단다. 나와 함께 내 빛 가운데 걷는 동안 내 생명이 너를 통해 빛나도록 해주렴.

이르되 내가 모태에서 알몸으로 나왔사온즉
또한 알몸이 그리로 돌아가올지라
주신 이도 여호와시요 거두신 이도 여호와시오니
여호와의 이름이 찬송을 받으실지니이다(욥 1:21).

■ ■ ■ ■ ■ ■

내 임재 안에 꾸준히 살려면 반항하는 성향을 버려
야 한다. 네가 계획하거나 바라는 일에 뭔가 다른 일
이 끼어들면 너는 화를 내곤 하지. 아주 작은 분노라
도 인식하면, 불쾌한 감정을 억누르지 말고 표면으로
올려 그 감정들을 다루어야 한다. 분노하는 감정을 보
다 잘 인식할 수 있도록 구해라. 그 감정을 담대하게
내 임재 속으로 가져오렴. 너를 거기에서 자유롭게 해
주마.

실패하고 소망을 잃었을 때 나를 찬양하렴. 모든 소
유와 가족, 친구, 건강과 능력, 시간 등 모든 좋은 것들
을 내가 주지 않았느냐. 어떤 상황에서도 감사함으로
반응해라. 내가 너에게서 취해 가는 모든 것을 내려놓
을 준비를 하되, 결코 내 손은 놓아서는 안 된다.

은을 구하는 것같이 그것을 구하며
감추어진 보배를 찾는 것같이 그것을 찾으면(잠 2 :4).

■ ■ ■ ■ ■ ■

환경이 어떠하든 나의 임재 안에서 기쁨을 발견할
수 있다. 기쁨이 인생길에 넉넉하게 뿌려져 햇빛에 반
짝이는 날도 있단다. 그런 날에 만족함이란 계속해서
숨을 쉬는 일처럼, 걸으면서 다음 발을 내딛는 행동처
럼 쉽지. 반면 하늘이 온통 구름으로 뒤덮여 암울한
날도 있단다. 하지만 여전히 기뻐할 수 있다. 감추어
진 보배를 찾는 것같이 그것을 찾아라.

내가 이날을 창조했다는 사실, 오늘 하루는 우연히
일어난 결과가 아님을 기억하는 일부터 시작하렴. 그
리고 내가 늘 너와 함께한단다. 그 다음 마음에 드는
생각에 대해 나에게 이야기하렴. 내가 너를 완벽하게
이해하고 네 경험을 정확히 다 알지 않느냐. 계속해서
나와 소통하면 기분이 점차 밝아질 것이다. 내가 너와
동행함을 깨달으면 우울은 사라지고 기쁨이 넘쳐날
거다.

주께서 생명의 길을 내게 보이시리니
주의 앞에는 충만한 기쁨이 있고
주의 오른쪽에는 영원한 즐거움이
있나이다(시 16:11).

■ ■ ■ ■ ■

관심을 내게 두고, 너를 비추는 나의 임재의 빛을 느껴라. 생각과 마음을 열어 내가 보내는 천상의 승인 미소를 받아라. 황금빛으로 반짝이는 내 사랑이 너를 씻기고 존재 깊숙이 젖어들도록 하렴. 나로 가득 채워지면 나와의 기쁨의 연합을 경험하게 되어 내가 네 안에, 네가 내 안에 있게 된다.

내 안에서 네가 누리는 기쁨과 네 안에서 내가 누리는 기쁨이 서로 엮여 분리할 수 없게 된다. 내 임재 안에서 누리는 기쁨을 네 영혼에 퍼뜨려 놓았기에, 나의 오른쪽에는 영원한 즐거움이 있다.

하나님이 그가 하시던 일을
일곱째 날에 마치시니
그가 하시던 모든 일을 그치고
일곱째 날에 안식하시니라(창 2:2).

■ ■ ■ ■ ■ ■

평안의 푸른 초장에 누워라. 오늘날은 많은 내 자녀
들이 너무 오랫동안 '온라인에 연결되어' 있어서 자신
의 시간을 보냄으로 나를 발견하는 일을 소홀히 하는
구나. 너를 창조할 때 쉼이 필요하게끔 만들었단다.
사람들이 이 기본적인 욕구를 채울 때 죄책감을 누릴
정도로 세상은 참으로 왜곡되어 있구나. 쉼 없이 항상
일할 준비 태세를 갖춘 채, 삶에서 내 인도함의 방향
을 구하지 않기 때문에 얼마나 많은 에너지와 시간을
낭비하는지 모른다.

나와 함께 평안의 길을 걸으라고 너를 불렀다. 네가
내 평안의 임재 속에서 살고자 갈망하는 사람들을 위
해 새로운 길을 열었으면 좋겠구나.

아들을 낳으리니 이름을 예수라 하라
이는 그가 자기 백성을 그들의 죄에서
구원할 자이심이라(마 1:21).

■ ■ ■ ■ ■

나는 너와 언제나, 영원을 넘어서도 함께하는 하나
님이다. 이 개념이 친숙하다는 이유로 이 사실의 놀라
움을 간과하지 마라. 영원히 함께하는 내 임재는 지속
적인 기쁨의 근원으로 풍성한 삶의 샘에서 솟아나 흐
른단다. 네 마음에 내 이름의 뜻이 메아리쳐 울리게
해라. 예수의 이름은 '구원자', '임마누엘'은 '하나님
이 우리와 함께하신다'는 뜻을 갖는다.

분주한 순간에도 내 임재를 의식하고자 노력해라.
너를 기쁘게 하는 일, 화나게 하는 일, 무엇이든 네 마
음에 드는 생각은 내게 말하렴. 매일 연습하는 이 사
소한 훈련을 하나하나 실천하면 삶의 여정 길을 걷는
동안 너를 내게 더욱 가까이 이끌어 준단다.

나는 포도나무요 너희는 가지라
그가 내 안에, 내가 그 안에 거하면
사람이 열매를 많이 맺나니
나를 떠나서는 너희가 아무것도
할 수 없음이라(요 15:5).

■ ■ ■ ■ ■

상처 받았을 때 내게 오면 고통을 달래 주마. 기쁨이
넘칠 때 내게로 오면 너의 기쁨을 함께 나누고 배가시
켜 주마. 네가 무엇인가를 필요로 할 때 바로 내가 너
의 필요의 모든 것이 된다. 깊은 곳에 있는 갈망은 오
직 내 안에서만 채워질 수 있다.

요즘은 자기 자신을 모든 일의 중심으로 삼는 시대
다. 서점에 가면 자기 만족과 자신감을 위한 책이 넘
쳐나지. 그러나 너는 '좁은 길'을 가라고 부름 받았다.
좁은 길은 항상 나를 의존하는 삶이다. 진정한 자신감
은 내 임재 안에서 네가 완전해짐을 아는 데서 나온
다. 네가 필요한 모든 것은 내 안에 진짜가 있다.

태초에 하나님이
천지를 창조하시니라(창 1:1).

■ ■ ▪ ▪ ▪

내 임재를 인식할수록 네가 선택해야 할 길을 분별
하기가 더 쉽다는 사실을 알게 된다. 미래의 계획에
사로잡혀 오늘 해야 하는 선택을 미처 보지 못하는 사
람들이 많다. 의식적인 깨달음 없이 습관적으로 반응
할 뿐이지. 이런 방식으로 살면 삶이 지루하게 느껴진
다. 이는 하루를 사는 동안 마치 몽유병 환자처럼 걸
으면서 수없이 반복적인 일상을 따르기 때문이란다.

우주의 창조주인 나는 상상할 수 있는 한 가장 창의
적인 존재란다. 네가 바퀴 자국이 깊이 나 있는 길을
계속 반복하도록 내버려 두지 않을 거다. 나는 새로운
모험의 길을 따라가도록 인도해서 네가 알지 못하는
것을 보여 준단다. 언제나 나와 소통하렴. 너를 인도
하는 나의 임재를 따르렴.

누가 누구에게 불만이 있거든
서로 용납하여 피차 용서하되
주께서 너희를 용서하신 것같이
너희도 그리하고(골 3:13).

■■■■■

이 세상에서 공평한 대우를 받으리라 기대하지 마라. 사람들이 하는 상처 주는 말은 사실 네가 받아야 할 이유가 전혀 없는 것들이란다. 너를 혹사하는 사람을 만나거든 은혜 안에서 성장할 수 있는 기회로 여겨라. 상황을 정확히 따지는 데 신경 쓰지 마라. 남들이 너를 어떻게 생각하는지에 사로잡히지 말고 내게 초점을 맞춰라. 내가 너를 어떻게 보느냐가 가장 중요하단다.

나와의 관계에 집중할 때는 내 공의와 거룩함으로 너를 덧입혔다는 사실을 기억해라. 이것은 전적인 선물이기에, 이것 역시 공평한 일은 아닌 셈이지. 다른 사람들이 너를 불공평하게 대할 때는 너를 대하는 내 방식이 공평 이상으로 선하다는 사실을 기억하렴. 내 길은 평안과 사랑이며, 이 사랑은 너에게 내주한 성령으로 말미암아 이미 너의 마음에 부어졌단다.

우리는 그가 만드신 바라 그리스도 예수 안에서
선한 일을 위하여 지으심을 받은 자니
이 일은 하나님이 전에 예비하사
우리로 그 가운데서 행하게 하심이니라(엡 2:10).

■■■■■

내 임재 안에 잠시 머물러라. 하루 일들에 무작정 뛰어들려는 네 충동에 고삐를 매라. 성공하고 싶다면 하루를 오직 나와 함께하는 시간으로 시작해라.

탁월한 운동선수는 자기 앞에 있는 경주를 위해 근육을 사용하기 전 정신 자세부터 가다듬는다. 내 임재 안에서 잠잠히 보내는 시간은 네가 마주할 하루에 너를 대비시켜 준단다. 오직 나만이 오늘 무슨 일이 일어날지 안다. 오늘을 살면서 네가 마주할 사건들은 내가 배열해 놓은 것이다. 이 여정에 적합하게 준비를 갖추지 못하면 피곤하여 낙심하고 말 것이다. 내가 오늘 하루 활동에 너를 준비시키는 동안 나와 함께 안식하렴.

312

나는 선한 목자라…
내 양은 내 음성을 들으며 나는 그들을 알며
그들은 나를 따르느니라(요 10:14, 27).

■ ■ ■ ■ ■

나는 너와 함께한다. 하늘의 종들이 내 임재의 약속과 함께 계속해서 울린다. 내게 마음을 닫아 버려서 그 종소리를 못 듣는 사람들도 있다. 어떤 사람들은 인생에서 한두 번 종소리를 듣는데, 인생에서 다른 어떤 것보다 나를 찾는 아주 드문 경우에 경험하지. 내 '양'이 내 음성을 꾸준히 듣기를 원하니, 나는 언제나 그들과 함께하는 목자이기 때문이다.

고요함은 네가 내 음성 듣는 법을 배우는 교실이다. 이 훈련을 거듭할수록 점차 어디에 있든지 잠잠함을 유지하는 법을 배우지. 삶의 큰 흐름에서 한 발짝 뒤로 물러날 때 하늘의 영광스러운 종소리를 들으려 애쓰렴. "나는 너와 함께한다. 나는 네 곁에 있다. 나는 너와 동행한다."는 종소리를 말이다.

나를 믿는 자는 성경에 이름과 같이
그 배에서 생수의 강이 흘러나오리라 하시니
이는 그를 믿는 자들이 받을 성령을 가리켜
말씀하신 것이라(요 7:38-39).

■■■■■■

내게 귀 기울이는 법을 배우되, 다른 사람들의 말을
듣는 동안에도 내 음성을 들어라. 다른 사람들이 자신
들의 영혼을 너에게 열어 보일 때 너는 거룩한 땅에
서 있는 거란다. 합당하게 반응하기 위해서는 내 영의
도움이 필요하다. 내 영이 너를 통해 생각하고, 살며,
너를 통해 사랑하도록 구해라. 나의 존재는 네 안에서
성령의 위격으로 산단다. 다른 사람들의 필요에 내 영
의 조망 없이 반응한다면 그들에게 딱딱한 빵 부스러
기를 던지는 셈이다.

내 영이 너에게 듣고 말하는 능력을 주면, 나의 생수
의 강이 너를 통해 흘러 다른 사람들에게 넘치게 될
거다. 다른 사람의 이야기를 듣는 동안 내게 귀 기울
임으로써 내 사랑과 기쁨, 그리고 평안의 통로가 되려
무나.

누가 능히 하나님께서 택하신 자들을 고발하리요
의롭다 하신 이는 하나님이시니(롬 8:33).

■■■■■■

계속해서 내게 초점을 두는 일이 어렵다고 용기를
잃지 마라. 내 임재를 계속적으로 인식하고 싶어 하는
네 마음을 나도 다 안다. 이 일은 매우 높은 목표인 까
닭에 이 세상에서는 완전히 이룰 수 없지. 실패했다고
좌절하지 말고 내가 바라보는 대로 자신을 보고자 노
력해라. 네가 나와 소통하고자 노력할 때마다 나는 기
쁘단다. 뿐만 아니라 내 임재 가운데에서 살기로 처음
결심한 이후 너는 참으로 많이 변화되었단다.

마음이 내게서 멀어진다고 겁먹거나 놀라지 마라.
세상은 네 관심을 내게서 빼앗아 가기 위해 조작된 곳이
다. 나와 소통하기 위해서 너를 유혹하는 거대한 장
애물을 헤치고 나아갈 때마다 너는 승리를 거둔다. 이
와 같은 작은 승리에 기뻐하면, 하루하루는 점점 환하
게 밝아진다.

여호와는 은혜로우시며 의로우시며 우리 하나님은
긍휼이 많으시도다 여호와께서는 순진한 자를 지키시나니
내가 어려울 때에 나를 구원하셨도다
내 영혼아 네 평안함으로 돌아갈지어다
여호와께서 너를 후대하심이로다(시 116:5-7).

■ ■ ■ ■ ■

내 임재의 빛 가운데서 강해져라. 악함은 나를 쫓아
내지 못한다. 반대로 내 힘을 끌어당기기 때문에 순종
하는 심령에는 언제든 흘러들어 깃들 수 있다. 항상
도움이 필요하다는 이유로 너를 정죄하지 마라. 그 많
은 필요를 들고 내게로 와서, 내 사랑의 빛이 너를 채
우도록 해주렴.

순종하는 심령은 일이 힘들어질 때 투덜대거나 반항
하지 않는다. 용기를 끌어모아 힘겨운 시간에도 내게
감사하지. 내 뜻에 자신을 복종시키는 일은 궁극적으
로 나를 신뢰하는 행위란다. 잠잠하고 신뢰해야 힘을
얻는다.

또한 모든 것을 해로 여김은
내 주 그리스도 예수를 아는 지식이
가장 고상하기 때문이라
내가 그를 위하여 모든 것을 잃어버리고
배설물로 여김은 그리스도를 얻고(빌 3:8).

■■■■■■

어떤 일로 인해 계획이나 열망이 좌절되거든 나와 소통하라는 신호로 받아들여라. 나와 대화하면 네가 복을 받고 우리 관계는 강력해진다. 또한 실망했다 낙담하지 않음으로써 실망이 변해 선한 기회가 된다. 이 변화가 어려운 환경에서 가시를 없애 주어 역경의 한복판에서 기뻐하는 일이 가능해진다.

사소한 실망거리에 이 훈련을 적용하며 시작하렴. 좌절을 기회로 다시 규정하면 잃은 것보다 훨씬 많이 얻었음을 깨닫게 되지. 이렇게 되기까지는 많은 훈련이 필요하지만 마침내 사도 바울의 관점을 얻을 수 있을 거다. 모든 것을 해로 여김은 내 주 예수 그리스도를 아는 지식이 가장 고상하기 때문이다. 내가 그를 위하여 모든 것을 잃어버리고 배설물로 여긴다고 말이다.

여호와께서 자기 백성에게 힘을 주심이여
여호와께서 자기 백성에게
평강의 복을 주시리로다(시 29:11).

■■■■■■

오늘 하루 나와 함께 평안하게 걷자꾸나. 오늘 하루
도 다른 날처럼 한 번에 한 걸음씩 걸어야 한단다. 이
런저런 일을 어떻게 해야 할지 마음속으로 계속 반복
해서 연습하는 대신, 내 임재와 바로 다음 번 걸음을
내딛는 일에 집중해라. 해야 할 일이 많은 날일수록
내게서 더 많은 도움을 기대하렴. 이 기회는 곧 훈련
이니 너의 목자 된 왕에게 더 깊이 의존하도록 너를
지었기 때문이다.

무엇을 해야 할지 잘 모를 때는 내가 앞길을 열 때까
지 기다리렴. 내 능력을 신뢰하면서 인도함에 순종할
준비를 갖춰라. 내가 너에게 힘을 줄 것이요, 평강의
복을 더할 것이다.

나는 비천에 처할 줄도 알고 풍부에 처할 줄도 알아

모든 일 곧 배부름과 배고픔과 풍부와 궁핍에도

처할 줄 아는 일체의 비결을 배웠노라(빌 4:12).

■ ■ ■ ■ ■ ■

네가 선택하는 만큼 내 가까이 살 수 있다. 나는 우리 사이에 어떤 장벽도 세우지 않지만, 네가 세운 장벽도 허물지는 않는단다.

사람들은 자신이 처한 환경에 따라 삶의 질이 결정된다고 생각하지. 그래서 상황을 통제하려고 애쓴다. 상황이 잘 풀릴 때는 행복해하고, 자신들이 희망한 대로 일이 돌아가지 않을 때는 슬퍼하거나 좌절하지. 자신이 처한 상황과 느낌 사이의 상관 관계에 대해 좀처럼 의문을 품지 않는단다. 하지만 어떠한 형편에든지 자족할 수 있다.

나를 신뢰하고 내 임재를 기뻐하는 일에 좀 더 힘을 쓰렴. 행복이 환경에 의존하도록 방치하지 마라.

나를 보내신 이가 나와 함께하시도다
나는 항상 그가 기뻐하시는 일을 행하므로
나를 혼자 두지 아니하셨느니라(요 8:29).

■ ■ ■ ■ ■ ■

다른 무엇보다 나를 기쁘게 하는 일에 전념해라. 오늘 하루도 수많은 선택의 연속일 거다. 그 가운데 대다수는 재빨리 결정해야 하는 사소한 일들이지. 그래서 네가 현명한 선택을 내리도록 도와줄 수 있는 실제적인 규칙이 필요하단다.

사람들은 습관적으로, 혹은 자기 자신이나 다른 사람들을 기쁘게 할 생각으로 결정을 내린다. 얘야, 다시 말하지만 이 방식은 너를 위해 내가 준비한 길이 아니란다. 나를 기쁘게 하고자 한다면 큰 결정뿐만 아니라, 아주 작은 것까지도 내게 맡기렴. 올바른 선택을 내리는 데 가장 필요한 일은 재빨리 나를 바라보는 것뿐이란다. 더욱더 나를 기뻐하며, 네가 행하는 모든 일에서 내 기쁨을 추구해라.

내가 여호와께 바라는 한 가지 일 그것을 구하리니
곧 내가 내 평생에 여호와의 집에 살면서
여호와의 아름다움을 바라보며
그의 성전에서 사모하는 그것이라(시 27:4).

■ ■ ■ ■ ■

진정한 아름다움은 내 존재의 한 부분을 투영한다.
네 안에 내 일을 행하고 있으니 나는 네 존재 안에 사
랑스러움을 창조하는 신성한 예술가란다. 내가 주로
하는 일은 잔해를 치우고, 그 공간을 내 영이 온전히
소유하게 만드는 거란다. 이 일에 나와 협력하고, 내
가 치워 버리기로 결정한 일은 기꺼이 내려놓으렴. 너
에게 필요한 것이 무엇인지 알며 그 모든 것을 공급하
되, 풍성하게 채워 주기로 약속하지 않았느냐.

가진 것이 넉넉하고 일이 잘 풀린다고 마음을 놓아
서는 안 된다. 오직 나에게만 의존하도록 너를 준비시
키는 훈련은 풍족하든 부족하든 각각의 상황을 모두
내 뜻으로 받아들여 만족하는 일까지 포함한단다. 상
황을 부여잡고 통제하는 일이 아니라, 내려놓고 받아
들이는 법을 배워라.

우리가 그를 힘입어 살며
기동하며 존재하느니라
너희 시인 중 어떤 사람들의 말과 같이
우리가 그의 소생이라(행 17:28).

■ ■ ■ ■ ■ ■

어려운 중에도 감사하는 법을 배워라. 오늘을 살면
서 마주하는 도전에 자극받아라. 힘든 곳을 나와 함께
여행하는 동안 우리가 함께 어떤 일도 이룰 수 있다는
지식에 근거해 확신을 가져라. 이 지식은 나와 맺은
관계, 성경의 약속, 그리고 어려운 시기를 성공적으로
지나온 과거의 경험 이렇게 세 부분으로 구성된다.

삶을 뒤돌아보고 힘겨운 시기를 지나는 동안 내가
어떻게 도왔는지 살펴보렴. '하지만 그건 과거지사이
고, 지금은 이렇잖아.'라는 생각이 엄습하면 내가 누
구인지 기억해라. 너와 네가 처한 환경이 극적으로 바
뀐다 해도 나는 시간과 그 너머 영원 동안 한결같단
다. 네 확신의 근거가 여기에 있다. 너는 내 임재 안에
서 살며, 움직이며, 존재하고 있다.

또 제자들에게 이르시되
그러므로 내가 너희에게 이르노니
너희 목숨을 위하여 무엇을 먹을까
몸을 위하여 무엇을 입을까
염려하지 말라(눅 12:22).

■ ■ ■ ■ ■

나와 조용히 앉아 네 모든 두려움과 걱정을 내게 내려놓으렴. 내 임재의 빛 가운데서 거품처럼 터져 사라져 버린단다. 하지만 반복해서 떠오르는 두려움도 있는데, 특히 미래에 대한 두려움이 그렇지. 네 정신은 자꾸 내일, 다음 주, 다음 달, 내년, 향후 10년의 미래로 떠나서는 그 순간에 잘못하는 자신의 모습을 그리는구나. 네가 보는 그림은 거짓이란다. 그 안에 내가 없지 않느냐.

미래의 걱정에 사로잡힐 때는 그 미래에 내 임재의 빛을 채워 넣어 걱정을 사로잡아 무장해제 시켜 버리려무나.

주께서 나를 온전한 중에 붙드시고
영원히 주 앞에 세우시나이다(시 41:12).

■■■■■■

네 전 존재를 살아 있는 내 임재에 맞춰라. 나는 분명코 너와 함께 있어 사랑과 평안으로 너를 둘러싼다. 내 임재 안에서 쉬는 동안 나는 네 생각을 빚고, 너의 마음을 깨끗하게 한다. 내가 지은 형상으로 너를 재창조하고 있단다.

아침 묵상을 마무리하고 일과를 시작할 때도 나를 향한 초점이 흔들려서는 안 된다. 힘든 일은 내게 넘기고, 하는 일에 싫증이 나면 기도와 찬양으로 시간을 채워라. 누군가로 인해 짜증나거든 그 사람의 잘못을 계속 생각하는 일을 그만두어라. 살며시 네 마음을 움직여 내게로 넘겨주렴. 너의 관심을 내게 두는 순간은 모두 소중하단다. 어떤 날이라도 기쁜 날이 될 수 있으니, 내 임재는 모든 순간에 배어 있기 때문이란다.

너희 마음의 눈을 밝히사 그의 부르심의 소망이 무엇이며
성도 안에서 그 기업의 영광의 풍성함이 무엇이며
그의 힘의 위력으로 역사하심을 따라 믿는 우리에게
베푸신 능력의 지극히 크심이 어떠한 것을
너희로 알게 하시기를 구하노라(엡 1:18-19).

■ ■ ■ ■ ■

어떤 환경에서도 위축되지 마라. 힘든 하루일수록 네가 사용할 수 있도록 더 많은 나의 능력을 준비해 둔단다. 너는 앞에 닥친 어려움을 너의 평균적인 힘에 견주어 보며 가늠해 보곤 하지. 그건 현실에 맞지 않는단다.

나는 날마다 어떤 일이 생길지 알며, 그에 맞게 너에게 능력을 준다. 특정한 날 너를 어느 정도까지 강하게 하는가는 크게 두 가지 변수에 따르는데, 하나는 환경의 어려움이고, 나머지는 도움을 구하기 위해 내게 의존하는 자발적인 마음이다. 힘든 날을 마주하거든, 평상시보다 내 능력을 더 많이 받을 수 있는 기회로 받아들이렴. 필요한 모든 것을 내게 기대하면서 내가 행하는 바를 눈여겨보렴. 네가 사는 날을 따라서 능력이 있을 것이다.

주께서 내 원수의 목전에서
내게 상을 차려 주시고
기름을 내 머리에 부으셨으니
내 잔이 넘치나이다(시 23:5).

■■■■■■

지금이 네 인생 중 가장 풍요로운 때란다. 네 잔이 복으로 넘치는구나. 긴 시간 동안 오르막을 오른 후에 너는 지금 따스한 햇살을 흠뻑 머금은 푸른 초원을 터벅터벅 걷고 있다. 네가 지금 이 순간의 편안함을 온전히 누리길 원한다. 너에게 이 복을 주는 일이 내게는 기쁨이란다.

때로 내 자녀들은 내가 주는 좋은 선물을 손을 벌려 받는 일을 망설인다. 거짓 죄책감이 끼어들어 그토록 부요한 복을 받을 자격이 없다고 속삭인다는 걸 안다. 이런 생각은 전혀 터무니없단다. 내 왕국은 노력해서 획득할 수도 없고, 그곳에 들어갈 만한 자격을 얻을 수도 없다. 다만 믿어서 받을 뿐이다. 감사하는 마음으로 내가 주는 풍성한 복을 받으렴. 줌으로써 누리는 나의 기쁨과 네가 누리는 받는 기쁨은 서로 기쁨의 화음을 이루며 흐른단다.

소망의 하나님이 모든 기쁨과 평강을
믿음 안에서 너희에게 충만하게 하사
성령의 능력으로 소망이 넘치게
하시기를 원하노라(롬 15:13).

■ ■ ■ ■ ■

나는 네 안에 있는 그리스도니 곧 영광의 소망이란
다. 네 곁에서 걸으며 내 손으로 너를 붙잡는 이가 네
안에서 사는 이와 동일하다. 너와 나는 네 존재의 구
석구석에서 친밀히 엮여 있다. 내 임재의 빛은 너를
비출 뿐 아니라 네 안에서 빛난단다. 내가 네 안에, 네
가 내 안에 있으니 하늘과 땅의 그 어떤 것도 내게서
너를 결코 떼어놓을 수 없다.

네가 잠잠히 나를 묵상할 때 너는 네 안에 있는 내
생명을 더욱 민감하게 인식하게 된다. 이를 통해 여호
와로 인하여 기뻐하는 것이 너의 힘이 된단다. 나, 곧
소망의 하나님이 모든 기쁨과 평강을 믿음 안에서 너
에게 충만하게 하여 성령의 능력으로 소망이 넘치게
할 것이다.

하나님이 죄를 알지도 못하신 이를
우리를 대신하여 죄로 삼으신 것은
우리로 하여금 그 안에서 하나님의 의가
되게 하려 하심이라(고후 5:21).

■■·■■■

온전히 이해받고 무조건적으로 사랑받는 사치를 맘껏 누려라. 너는 내 공의로 빛나며 내 피로 정결함을 받았으니 감히 내가 너를 보듯이 스스로를 바라봐도 된다. 천국이 네가 거하는 집이 될 때 네가 실제로 이룰 모습으로 나는 너를 바라본다.

영광에서 영광에 이르기까지 너를 바꾸는 주체는 다름 아닌 네 안에 있는 내 생명이란다. 이 놀라운 기적을 기뻐해라. 네 안의 성령이 주는 이 놀라운 선물을 항상 감사히 받아라. 오늘 하루를 살면서 내 영의 도움을 의지해라. 잠깐씩 쉬면서 네 안에 있는 거룩한 자와 상의하렴. 나는 너에게 강제로 자신의 명령을 강요하지 않으며, 나에게 삶의 공간을 건네는 만큼 너를 인도한단다. 이 놀라운 협력의 길을 내 영과 함께 걸으렴.

이것을 너희에게 이르는 것은
너희로 내 안에서 평안을 누리게 하려 함이라
세상에서는 너희가 환난을 당하나
담대하라 내가 세상을 이기었노라(요 16:33).

■ ■ ■ ■ ■

발생한 문제에 가볍게 접근하렴. 문제를 너무 심각
하게 받아들이면 시야에서 나를 놓치고 만단다. 지금
당장 해결해야 할 것처럼 달려들었다가 완전한 승리
를 얻지 못하면 패배했다고 느끼며 좌절하고 말지.

그보다 더 나은 길이 있단다. 문제를 발견하면 즉시
내게로 가져와라. 나와 함께 이야기하자꾸나. 이렇게
하면 문제를 한 걸음 떨어져 보게 되고, 네가 아무것
도 아닌 일에 너무 심각하게 반응했음을 깨닫게 될 거
다. 세상에서 너는 환난을 당하게 된다. 그러나 너에
게는 언제나 내가 함께 있어 어떤 일을 만나든 도움을
받는다는 사실이 더 중요하다. 모든 것을 밝히 드러내
는 내 빛 안에서 문제를 바라봄으로, 문제에 가벼운
마음으로 접근하렴.

주의 교훈으로 나를 인도하시고
후에는 영광으로 나를 영접하시리니(시 73:24).

■ ■ ■ ■ ■

네 앞에 놓인 하루가 복잡한 미로처럼 느껴져 걱정
하는구나. 그러다 다음 순간 너와 항상 함께하는 이가
네 오른손을 붙들었음을 기억한다. 내 교훈으로 너를
인도하리라는 내 약속을 기억하고 안도한다. 네 앞에
놓인 길이 평안의 안개로 뒤덮여 단지 몇 발자국 앞만
보이지? 그제야 너는 시선을 더욱 온전히 내게 두고
나의 임재를 누린단다.

이 안개는 너를 보호하기 위해 내가 계획한 것으로
계속해서 현재의 순간으로 너를 불러온단다. 나는 모
든 시간과 장소에 거하지만, 너는 오직 지금 이 순간
에만 나와 소통할 수 있기 때문이지. 언젠가 안개가
걷힐 텐데, 나와 그리고 바로 앞에 놓인 길에 시선을
고정하는 법을 네가 터득한 까닭이다.

너희가 오른쪽으로 치우치든지 왼쪽으로 치우치든지
네 뒤에서 말소리가 네 귀에 들려 이르기를
이것이 바른 길이니 너희는 이리로 가라
할 것이며(사 30:21).

■ ■ ■ ■ ■

내 안에 있는 자에게는 정죄함이 없다. 생명의 성령
의 법이 죄와 사망의 법에서 너를 해방시켰기 때문이
다. 타고난 권리인 이 근본적인 자유를 누리며 사는
방법을 아는 그리스도인들은 그리 많지 않다. 내가 너
를 자유롭게 하기 위해 죽었으므로 내 안에서 자유롭
게 살아라.

다른 길로 유혹하는 목소리가 많겠지만 오직 내 음
성만이 진실한 길을 인도한다. 화려한 세상의 길을 따
라가면 점점 구렁텅이 속으로 더 깊이 빠져든단다. 기
독교적인 목소리도 너를 잘못 인도할 수 있다. "이것
을 해라.", "저것은 하지 마라.", "이렇게 기도해라.",
"그건 잘못된 기도다." 이 모든 주장에 귀 기울이면 점
점 혼란스러워진다. 단순한 양이 되어 내 음성을 듣고
나를 따라오렴. 내가 너를 푸른 풀밭에 누이며, 의의
길로 인도하마.

아무것도 염려하지 말고
다만 모든 일에 기도와 간구로,
너희 구할 것을 감사함으로
하나님께 아뢰라(빌 4:6).

■■■■■■

  내게로 와서 내 평안 안에서 쉬어라. 내 얼굴은 모든 지각에 뛰어난 나의 평강의 빛으로 너를 비춘단다. 혼자서 일을 해결하려고 하는 대신 모든 것을 아는 나의 임재 안에서 쉴 수 있다. 신뢰하고 의존하며 내게 기대면 평안과 완전함을 느끼지. 바로 이렇게 살도록 너를 지었으니 나와의 친밀한 교제 안에서 살아야 한다.

  너는 사람들을 기쁘게 하느라 지쳐 있고, 내 임재에 대한 인식은 희미해져 간다. 이것은 사람들에게 샘솟는 내 영의 생수 대신 딱딱한 빵 부스러기를 건네는 셈이다. 이 길은 내가 너를 위해 준비한 길이 결코 아니다. 나와 계속해서 연락하되, 가장 바쁜 순간에도 그렇게 해라. 내 평안의 빛 가운데 거하는 동안 내 영이 너에게 은혜의 말을 전해 주길 원한다.

주의 인자하심으로
주께서 구속하신 백성을 인도하시되
주의 힘으로 그들을 주의 거룩한 처소에
들어가게 하시나이다(출 15:13).

■ ■ ■ ■ ■

결과는 내게 맡겨라. 내가 어디로 인도하든지 그 결과를 염려하지 말고 따라오렴. 인생은 내가 너의 안내자이자 친구로 함께하는 모험이라고 생각하렴. 나와 함께 보조를 맞추는 데 집중하면서 지금 이 순간을 살아라. 우리가 가는 길이 절벽에 이르면 내 도움을 받으면서 기꺼이 올라가라. 쉴 곳에 도달하거든 내 임재 안에서 새로워지는 시간을 보내라. 내 곁에서 사는 인생의 강약을 누려라.

너는 이미 여행의 최종 목적지, 곧 천국에 들어가는 입구를 알고 있다. 그러니 앞에 놓인 길에만 집중하고 결과는 내게 맡겨라.

너희는 그 은혜에 의하여
믿음으로 말미암아 구원을 받았으니
이것은 너희에게서 난 것이 아니요
하나님의 선물이라 행위에서 난 것이 아니니
이는 누구든지 자랑하지 못하게 함이라(엡 2:8-9).

■■■■■■

　내 자녀야, 너로 인해 기쁘구나. 너를 비추는 내 기쁨을 온전히 인식하는 일에 전념하렴. 내게 사랑받기 위해 무언가 이루지 않아도 된단다. 성취에 집중하면 내게서 멀어지면서 형식주의에 빠지지. 이것은 교묘한 형태의 우상 숭배로, 네가 잘해낸 일을 숭배한다.

　성취에서 눈을 떼고 빛나는 내 임재를 바라보아라. 내 사랑의 빛은 네 감정이나 행동과 무관하게 너를 비춘단다. 너는 무조건적인 내 사랑을 받아들이기만 하면 된다. 감사와 신뢰가 내 사랑을 누린다는 증거다. 모든 일에 내게 감사하며, 시시로 나를 신뢰해라. 이 간단한 훈련이 내 사랑의 임재를 향해 마음을 항상 열어 준단다.

이 말을 할 때에 예수께서 친히
그들 가운데 서서 이르시되
너희에게 평강이 있을지어다
하시니(눅 24:36).

■ ■ ■ ■ ■ ■

오늘 하루 내 임재와 내가 주는 평안에 감사해라. 이
선물은 초자연적인 규모다. 부활 사건 이후, 나를 따
르는 자들을 이런 말을 통해서 위로했다. "너희에게
평강이 있을지어다.", "너희와 항상 함께 있으리라."
나의 평안과 임재를 전적으로 줄 때 귀를 기울여라.
이 영광스러운 선물을 받는 제일 좋은 방법은 감사하
는 거란다.

내게 올리는 감사와 찬양에 지나침이란 없단다. 너
를 창조한 제일의 목적은 내게 영광 돌리기 위함이다.
감사하며 찬양하면 나와 올바른 관계 속에 서고, 넘치
는 나의 부요함이 너에게 흘러갈 길이 열린다. 내 임
재와 평안에 감사하면 가장 귀한 내 선물의 사용처를
정한 셈이다.

나는 여호와로 말미암아 즐거워하며
나의 구원의 하나님으로 말미암아
기뻐하리로다(합 3:18).

■ ■ ■ ■ ■

감사하는 태도는 천국의 창문을 활짝 열리게 한단다. 영적인 복이 영원을 향해 열린 그 창문을 통해 너에게 자유롭게 떨어지지. 게다가 감사하는 마음으로 위를 바라보면 그 창문을 통해 보이는 영광을 살짝 경험할 수 있단다. 아직 천국에 살지는 않지만 궁극적인 본향의 맛을 미리 볼 수는 있다. 이렇게 천국을 미리 맛보면 소망이 되살아나지. 감사할 때 이 경험이 너에게 열리고, 더 감사할 이유를 제공해 준다. 그래서 네가 가는 길은 위로 올라가는 나선형이 되어 기쁨도 점점 커진단다.

감사는 어떤 마법 공식이 아니라, 사랑의 언어로 나와 친밀히 소통할 수 있는 능력을 너에게 준단다. 감사하면 시련의 한복판에 처할 때 네 구원자인 내 안에서 기뻐할 수 있다.

내가 평안히 눕고 자기도 하리니
나를 안전히 살게 하시는 이는
오직 여호와이시니이다(시 4:8).

■ ■ ■ ■ ■ ■

잠잠히 묵상하는 중에 내가 네 마음과 생각을 감사로 채우도록 해주렴. 마음의 중심을 맞출 초점이 필요하면 십자가에서 널 위해 쏟은 내 사랑을 바라보아라. 하늘과 땅의 다른 어떤 피조물이라도 너를 내 안에 있는 하나님의 사랑에서 끊을 수 없단다. 이 사실을 기억하면 네 안에 감사의 기초가 놓이고, 어떤 환경도 이를 흔들 수 없다.

오늘을 사는 동안 내가 전략적으로 배치해 둔 보물들을 찾아라. 너보다 앞서 가서 하루를 밝혀 줄 작은 기쁨을 심어 두었단다. 주의를 기울여 그 기쁨을 찾되, 한 번에 하나씩만 뽑아라. 하루를 다 보내고 나면 멋진 기쁨의 꽃다발을 손에 들고 있을 거란다. 감사함으로 내게 바쳐라. 잠자리에 들 때 내 평안을 받을 거다. 그 평안은 네 마음에 자장가를 불러 주는 감사의 생각들이 깃드는 평안이란다.

여호와께 감사하라
그는 선하시며 그의 인자하심이
영원함이로다(시 118:1).

■ ■ ■ ■ ■ ■

감사하면 역경의 고통이 완화된단다. 네가 감정과
무관하게 내게 감사하면 나는 네 상황에 구애받지 않
고 기쁨을 주지. 이는 영적인 순종의 행위로, 때로 맹
목적인 순종으로 나타나기도 한다. 나를 친밀히 알지
못하는 사람들에게 이런 행동은 비이성적으로 보일
테지. 하지만 내게 이와 같이 순종한 자들은 반드시
축복을 받을 거다. 설사 어려움이 그대로 남았다 해도
말이다.

감사하면 네 마음은 나의 임재에, 네 생각은 나의 생
각에 열린단다. 네가 처한 환경은 여전히 동일할 수
있지만, 마치 빛이 켜진 상태처럼 밝아져서 너는 내
관점을 볼 수 있다. 나의 얼굴 빛이 역경의 고통을 제
거한다.

항상 기뻐하라
쉬지 말고 기도하라 범사에 감사하라
이것이 그리스도 예수 안에서 너희를 향하신
하나님의 뜻이니라(살전 5:16-18).

■■■■■■

이 하루를 사는 동안 내게 자주 감사해라. 이렇게 연습하면 사도 바울의 가르침인 쉬지 않고 기도하는 일이 가능해진단다. 모든 상황 속에서 끊임없이 기도하는 법을 정말 배우고 싶다면 항상 감사하려무나. 감사의 기도는 다른 모든 기도를 세워 올릴 수 있는 확고한 기초를 제공한다. 게다가 감사하는 태도는 나와의 소통을 쉽게 해주지.

나를 향한 감사로 네 마음이 가득차면 걱정이나 불평할 시간이 없단다. 지속해서 감사하는 연습을 실천하면 부정적인 사고방식은 점차로 약해지지. 감사하는 마음으로 내게 가까이 오면, 나의 임재가 모든 기쁨과 평강을 너에게 충만하게 해줄 거란다.

내가 주께 감사제를 드리고
여호와의 이름을 부르리이다(시 116:17).

■■·■■

이날은 내가 정한 날이다! 인생의 이날을 기뻐하면
귀한 선물 그리고 여러 가지 이로운 훈련을 받는다.
감사하며 큰 길을 나와 함께 걸으면 내가 준비한 모든
기쁨을 발견한다.

감사하는 마음을 잃지 않기 위해서는 축복과 슬픔이
자유로이 섞여 있음을 염두에 두어야 한다. 계속해서
역경에 집중하다 좌절한 자녀들이 많단다. 아름다움
과 빛으로 넘쳐나는 하루인데 그들은 침울한 회색빛
생각에만 집중하지. 감사하는 연습을 게을리해서 그
들의 마음은 어두워졌단다. 언제나 내게 감사하기를
기억하는 자녀가 얼마나 귀한지 모른다. 그들이 가장
암울한 시절조차도 마음에 기쁨을 안고 살아낼 수 있
는 이유는 내 임재의 빛이 계속해서 그들을 비춘다는
사실을 알기 때문이란다.

감사함으로 그의 문에 들어가며
찬송함으로 그의 궁정에 들어가서 그에게 감사하며
그의 이름을 송축할지어다(시 100:4).

■■■■■■

감사함이 네 마음을 통치하도록 하렴. 범사에 감사
하면 놀라운 일이 생긴단다. 네 눈을 덮은 비늘이 벗
겨져 나의 영광스러운 부요함을 더 많이 보는 능력을
받지. 이렇게 눈이 열리면 내 보물창고에서 네가 필요
한 것을 자유롭게 얻을 수 있다. 내게서 금빛 선물을
받을 때마다 감사함으로 내 이름을 찬양해라.

참양과 감사가 넘치는 풍성한 삶을 누려라. 찬양하
고 감사하면 기적이 가득한 인생을 살게 된다. 삶을
통제하려 하지 말고, 나와 내가 하는 일에 초점을 두
렴. 찬양의 힘은 전 존재의 중심을 내게 두는 일에서
비롯된단다. 네가 이렇게 살도록 지은 이유는 내 형상
을 따라 창조했기 때문이란다.

여호와의 인자하심과
인생에게 행하신 기적으로 말미암아
그를 찬송할지로다(시 107:21).

■ ■ ■ ■ ■ ■

변함없는 내 사랑의 온전한 확증 안에서 쉬어라. 몸과 마음, 그리고 영을 내 임재 가운데 편히 쉬게 해라. 너를 괴롭히는 모든 일을 내게 맡겨 네 모든 관심을 나에게 맞추도록 하렴. 너를 향한 내 사랑의 광대한 차원을 경외해라. 이는 네가 아는 어떤 피조물보다 더 넓고, 길며, 높고 또한 깊다. 이 놀라운 사랑을 영원히 네가 소유했으니 기뻐해도 좋단다.

영광스러운 이 선물을 받는 가장 합당한 태도는 감사함이 묻어나는 삶이다. 내게 감사할 때 너는 내가 너의 주이며 공급자임을 깨닫는다. 너는 내게 감사의 제사를 드리고, 내가 너에게 얼마나 복 주는지 지켜보아라.

여호와가 너를 항상 인도하여 메마른 곳에서도
네 영혼을 만족하게 하며 네 뼈를 견고하게 하리니
너는 물 댄 동산 같겠고 물이 끊어지지 아니하는
샘 같을 것이라(사 58:11).

■ ■ ■ ■ ■

　너의 내면 깊숙한 곳에 나의 평안을 불어넣고 싶구
나. 잠잠히 묵상하는 가운데 네 안에 자라나는 평안을
느낄 수 있다. 자기 훈련이나 의지력으로 이룬 무엇인
가가 아니요, 내 복을 받고자 너 자신을 여는 일이다.

　지금과 같은 자립의 시대에는 우리가 무엇인가를 필
요로 하는 존재라는 점을 인식하기가 어렵다. 하지만
나는 네 스스로 약하고 부족함을 깨닫게 하여 내가 절
실히 필요해지는 자리에 너를 두었단다. 너는 네 앞에
닥친 고난도 내게 감사하는 방법을 배웠으며, 그 고난
을 통해 내가 가장 좋은 일을 이룬다는 사실을 이제
너는 믿는단다. 나를 구해야 나를 알게 되며, 나를 앎
은 가장 귀한 선물이다.

그러나 우리의 시민권은 하늘에 있는지라
거기로부터 구원하는 자
곧 주 예수 그리스도를 기다리노니(빌 3:20).

■■■■■■

문제는 삶의 일부란다. 너는 문제가 생기면 곧장 달려들어 해결하려 애쓰지. 이것은 습관으로 굳어진 탓인데, 너는 이 습관으로 인해 좌절할 뿐 아니라 내게서 멀어지고 마는구나.

문제 해결을 최우선 순위로 삼아서는 안 된다. 세상의 잘못된 일을 바로잡기에 네 능력은 너무 미약하단다. 네가 책임질 일이 아닌 일의 무게로 낙담하지 마라. 대신 나와의 관계를 주요 관심사로 삼아라. 마음에 떠오르는 생각이 무엇이든 나와 상의하고 그 상황을 나는 어떻게 바라볼지 구해라. 시야에 들어오는 일을 고치려 하기보다는 정말로 중요한 일을 보여 달라고 기도해라. 너는 천국으로 가는 길 위에 있단다. 문제 따위는 영원의 빛 속으로 던져 버리렴.

옛적에 여호와께서 나에게 나타나사
내가 영원한 사랑으로 너를 사랑하기에
인자함으로 너를 이끌었다 하였노라(렘 31:3).

■ ■ ■ ■ ■ ■

너를 사랑하는 내 사랑은 영원하다. 이 사랑은 영원
깊은 곳에서 흘러나온단다. 네가 태어나기 전에 나는
너를 알았다. 탄생 이전부터 무덤 너머까지 아우르는
이 사랑의 신비를 생각해 보렴.

현대인들은 영원의 관점을 잃어버렸다. 삶을 위해
끝없이 일하고, 순간의 즐거움에 몸을 내맡기느라 분
주하다. 내 임재 안에서 잠잠히 머무는 일은 거의 잊
혀진 기술이지만, 바로 이 잠잠함을 통해 영원한 내
사랑을 경험할 수 있단다. 인생의 폭풍우를 뚫고 나가
야 할 때 나를 의지해라. 고난 중에는 아무리 훌륭한
신학이라 해도 나를 경험하여 아는 일이 없이는 너에
게 실망만 안겨 준단다. 인생의 풍랑에 난파되지 않고
보호받으려면 궁극적으로 나와 우정을 쌓기 위해 헌
신하는 시간이 필요하다.

이는 한 아기가 우리에게 났고
한 아들을 우리에게 주신 바 되었는데
그의 어깨에는 정사를 메었고 그의 이름은 기묘자라,
모사라, 전능하신 하나님이라, 영존하시는 아버지라,
평강의 왕이라 할 것임이라(사 9:6).

■■■■■■

나는 평강의 왕이다. 제자들에게 말했듯이 너에게도
말하지만, 평강이 있기를 바란다. 나는 언제나 너와
함께하는 친구이기에 내 평안은 언제나 너와 함께한
단다. 흔들림 없이 나를 바라면 나의 임재와 함께 내
가 주는 평안을 경험할 수 있다. 왕 중의 왕, 만주의 주
요, 평강의 왕인 나를 예배해라.

삶에서 나의 목적을 이루기 위해서 매 순간 내가 주
는 평안이 필요하단다. 때로 지름길을 선택할 때도 있
는데, 목표에 가능한 빨리 도달하려고 하기 때문이지.
하지만 그 지름길을 가기 위해 내가 주는 평안한 임재
에서 등을 돌려야 한다면, 오히려 더 먼 길을 택해야
한다. 나와 함께 평안의 길을 걸으며, 내 임재 안에서
이 여행을 누려라.

우리의 씨름은 혈과 육을 상대하는 것이 아니요
통치자들과 권세들과 이 어둠의 세상 주관자들과
하늘에 있는 악의 영들을 상대함이라(엡 6:12).

■■■■■■

네 마음이 맹렬히 공격받는다고 놀라지 마라. 사탄은 네가 나와 친밀해지는 것을 혐오하기 때문에 우리의 친밀함을 깨뜨리려 무진 애를 쓴다. 전투가 한창일 때 "예수님, 도와주세요!"라고 외치렴. 그 순간 네 싸움은 내 전투가 되고, 너는 그저 나만 믿으면 된단다.

내 이름을 올바로 사용하면 복을 주고, 또 내 이름에는 보호하는 무한의 능력이 있단다. 마지막 때에 내 이름이 선포되면 하늘에 있는 자들과 땅에 있는 자들과 땅 아래 있는 모든 자들이 무릎을 꿇을 거다. 내 이름을 천박한 욕으로 사용하는 사람들은 그날이 오면 공포의 나락으로 떨어지게 될 거다. 하지만 신뢰하며 내 이름을 고백하고 내게 나온 자들은 영광스러운 기쁨을 누리게 된단다. 이 사실은 내가 다시 올 때까지 너에게 가장 큰 소망이다.

기도를 계속하고
기도에 감사함으로 깨어 있으라(골 4:2).

■ ■ ▪ ■ ■

하늘이 땅보다 높음같이 내 길은 너의 길보다 높고,
내 생각은 너의 생각보다 높지. 묵상하면서 내가 누구
인지 기억하렴. 너는 우주의 왕과 언제 어디서든 소통
할 수 있단다. 그런데 애야, 이 놀라운 특권을 결코 당
연시 여겨서는 안 된다.

잠잠한 가운데 나와 교제하면서 내 생각이 점차 네
마음을 만들어 가고, 내 영이 모든 과정을 지휘한다
다. 내 영이 마음에 성경 구절을 불러오기도 하고, 때
로 내가 너에게 직접 '말하는' 음성을 듣도록 하는 때
도 있지. 이 소통으로 너는 강해지고, 시험이 닥쳤을
때 담대히 맞설 수 있는 힘을 얻는단다. 내 음성을 듣
고자 시간을 내렴. 네가 바치는 소중한 시간 제물을
통해 나는 네가 구하는 것보다 훨씬 더 너를 축복할
것이다.

> 야곱이 잠이 깨어 이르되
> 여호와께서 과연 여기 계시거늘
> 내가 알지 못하였도다(창 28:16).

■ ■ ■ ■ ■ ■

네가 경험하는 모든 일에 내가 함께한단다. 찬란한 빛으로 만들어진 베일처럼 나는 너와 네 주변의 모든 것 위에 드리워 있단다. 맞닥뜨리는 모든 상황에서 계속 나를 의식하도록 너를 훈련하는 중이란다.

족장 야곱이 분노한 형으로부터 도망쳤을 때 황무지에서 돌베개를 베고 잠이 들었지. 그는 천국과 천사 그리고 내 임재의 약속에 관한 꿈을 꾼 후에 잠에서 깨어나 이렇게 말했단다. "여호와께서 분명히 여기 계시는데 나는 그것을 모르고 있었다." 이 발견은 야곱에게뿐 아니라 나를 찾는 모든 이에게 적용된다. 내게서 멀어진다고 느낄 때는 "여호와께서 분명히 여기 계신다!"라고 외치렴. 그리고 내 임재를 인식할 수 있도록 해달라고 내게 구해라. 이 기도에 나는 기쁘게 응답한단다.

너는 마음을 다하고
뜻을 다하고 힘을 다하여
네 하나님 여호와를 사랑하라(신 6:5).

■■■■■■

내 가까이 머무르면 너를 위해 준비한 길에서 벗어나지 않는다. 인간은 종교의 의무사항을 늘리는 성향이 있단다. 내게 돈과 시간, 그리고 일 등을 바치지만 내가 가장 바라는 것은 바로 너의 마음이다. 율법은 기계적으로 준수할 수 있지. 일단 습관이 되면 최소의 노력으로 그리고 거의 생각조차 하지 않고도 따를 수 있다. 이처럼 습관을 만드는 규칙은 거짓된 안전감을 심고, 영혼을 달래서 마비 상태에 빠지게 한다.

내가 내 자녀에게서 보기 원하는 것은 바로 내 임재의 기쁨으로 전율하는 '깨어 있는 영혼'이다. 내가 인류를 창조한 목적은 나를 영화롭게 하며, 영원히 나를 즐거워하기 원했기 때문이다. 나는 기쁨을 제공하고 네 역할은 내 곁에 살면서 내게 영광 돌리는 일이다.

너희에게는 머리털까지
다 세신 바 되었나니(마 10:30).

■ ■ ■ ■ ■ ■

나는 네가 하는 모든 일을 함께한다. 언제나 너를 생각하고, 인생의 세밀한 부분까지도 배려한다. 내가 인지하지 못하는 것은 하나도 없어서, 심지어 네 머리털이 몇 개인지도 다 안단다. 그러나 내 임재에 대한 너의 인식은 점점 약해지고 꺼져 가는 느낌이 드는구나. 네 생각이 늘 내 뜻을 좇으면 너는 안전하고 온전하다고 느낀다. 하지만 내게서 초점을 잃으면 문제와 소소한 일에 마음을 빼앗겨 공허함과 불안함에 시달리게 되지.

매 순간 범사에 나를 끊임없이 바라보는 법을 배워라. 세상은 불안정하고 계속해서 변하지만, 내 임재를 끊임없이 인식함으로 너는 연속성을 경험할 수 있다. 보이지 않는 것에 주목하되, 눈에 보이는 세상이 눈앞에서 행진을 벌이며 누비고 다닐 때도 그렇게 해라.

이는 그들로 마음에 위안을 받고
사랑 안에서 연합하여
확실한 이해의 모든 풍성함과
하나님의 비밀인 그리스도를
깨닫게 하려 함이니(골 2:2).

━━━━━

네 필요와 내 부요는 완벽하게 한 쌍을 이룬다. 나는 네가 자기 만족에 빠지기를 결코 의도한 적이 없다. 대신 매일의 양식을 구하기 위해서뿐 아니라, 깊은 갈망을 채우기 위해 나를 필요하게끔 계획했단다. 네 안에 조심스럽게 갈망을 불어넣고, 약함을 빚은 뒤에 너에게 나를 가르쳐 줬다. 그러므로 이런 감정을 묻어 버리거나 부정하지 마라. 이런 감정을 사람이나 소유물, 힘으로 달래지 않도록 경계해라.

모든 필요를 들고 내게로 오되, 방어하는 자세가 아니라 복 받고자 하는 갈망을 안고 와라. 내 임재 안에서 시간을 보내는 동안 깊은 열망이 채워진다. 필요가 있음을 기뻐해라. 그 필요로 인해 내 안에 있는 은밀한 온전함을 발견할 수 있다.

사람이 나를 섬기려면 나를 따르라
나 있는 곳에 나를 섬기는 자도 거기 있으리니
사람이 나를 섬기면 내 아버지께서
그를 귀히 여기시리라(요 12:26).

■■■■■

나와 함께 기꺼이 위험을 감수해라. 내가 위험으로 널 이끈다면, 그곳이야말로 네가 가장 안전하게 거할 장소다. 위험 없는 삶을 살고자 하는 욕구는 불신앙의 모습이란다. 나와 가까이 살고자 하는 열망은 위험을 최소화하려는 시도와 서로 상충된다. 네 인생길의 기로에 다가서고 있구나. 전심으로 나를 따르기 원한다면 안전을 추구하는 성향을 포기해야 한다.

오늘 하루 한 걸음씩 너를 인도하기 원한다. 주 초점을 내게 두면 위험이 가득한 길도 두려움 없이 걸을 수 있단다. 우리가 함께하는 여행에서 펼쳐지는 모험을 마침내 즐거워하며 쉬는 법을 배우게 될 거란다. 내 곁에 머물러 있는 한 나의 주권적 임재는 네가 가는 어디서나 널 보호한다.

거기서도 주의 손이 나를 인도하시며
주의 오른손이 나를 붙드시리이다(시 139:10).

■ ■ ■ ■ ■

안전 추구의 초점을 내게 두어라. 너는 여전히 네 생각대로 계획을 짜 세상을 예측하려 든다. 하지만 이는 불가능할 뿐더러 네가 영적으로 성장하는 데 역효과를 낸다. 다가오지 않은 시간들이 불확실해 불안하다면 내 손을 잡고 나를 의지하렴.

문제가 없는 삶을 구하지 말고, 문제가 내 임재에 대한 인식을 강조해 준다는 점에 기뻐하렴. 캄캄한 역경 속에서는 내 얼굴의 광채 나는 빛이 더욱 분명히 보인단다. 이 세상 문제의 가치를 인정하고, 온전히 기쁘게 여겨라. 천국에서 너를 기다리는 삶에는 문제가 영원히 없음을 기억해라.

믿음은 바라는 것들의 실상이요
보이지 않는 것들의 증거니(히 11:1).

■ ■ ■ ■ ■

나는 네 편에서 일한다. 꿈을 포함해 네 모든 염려를
내게 가져오렴. 모든 일에 대해 나와 이야기 나누고,
내 임재의 빛이 소망과 계획 위에 비추게 하자꾸나.
시간을 내서 나와 교제함으로 네 인생에 꿈을 불어넣
고, 점차 실현되게끔 해주렴.

나는 우주의 창조자로서 너와 함께 창조할 계획을
세웠단다. 이 과정을 서두르려고 하지 마라. 나와 협
력하기 원한다면 내 시간표를 따라야 한다. 서두르는
일은 내 본성과 맞지 않는다. 아브라함과 사라는 내
약속의 성취인 아들을 보기 위해 오랫동안 기다려야
했다. 오랜 기다림으로 그 아이에 대한 기쁨이 얼마나
강화되었을지 상상해 보렴. 믿음은 바라는 것들에 대
해서 확신하는 것이고, 보이지는 않지만 그것이 사실
임을 믿는 거란다.

주께서는 못하실 일이 없사오며
무슨 계획이든지 못 이루실 것이
없는 줄 아오니(욥 42:2).

■ ■ ■ ■ ■

내가 너를 돌본다. 인생의 작은 부분까지도 내가 통제한다. 세상이 비정상적이고 타락하여 사람들은 우연이 우주를 지배한다고 생각하지. 세상을 이런 식으로 보는 사람들은 한 가지 기본적인 사실을 간과하는데, 인간의 이해력에는 한계가 있다는 점이다. 네가 사는 세상에 대해 네가 아는 바는 빙산의 일각에 불과하단다.

눈에 보이는 세상 표면 밑에는 이해할 수조차 없는 광대한 신비가 있지. 내가 얼마나 네 가까이 있는지 그리고 네 편에서 얼마나 신실하게 일하는지 네가 볼 수 있다면, 내가 멋지게 너를 돌본다는 사실에 결코 의심을 품지 않게 될 거다. 바로 이런 이유로 너는 믿음으로 행하고 보는 것으로 행하지 않아야 하고, 신비하고 장엄한 내 임재를 신뢰해야 한다.

너희 몸은 너희가 하나님께로부터 받은 바
너희 가운데 계신 성령의 전인 줄을 알지 못하느냐
너희는 너희 자신의 것이 아니라(고전 6:19).

■■■■■■

거룩해지는 시간을 드려라. 거룩하다는 말은 착한
척한다는 뜻이 아니며, 신성하게 사용하기 위해 따로
구분하는 걸 의미한다. 잠잠히 묵상하는 중에 네 안에
서는 바로 이 일이 이루어진다. 생각과 마음의 중심을
내게 둠으로써 변화되어 너는 내가 태초에 계획한 모
습으로 재창조된다. 이 과정을 위해서는 나와 교제하
기 위해 따로 구분된 일련의 시간이 필요하다.

이 훈련이 주는 혜택은 무한하단다. 우선 내가 네 안
에, 네가 내 안에 거함으로 감정적이고 신체적인 치유
를 경험하지. 또한 나와 가까이 있으면서 믿음이 강해
지고 평안을 경험할 수 있다. 나아가 마음을 활짝 열
어 내가 준비한 수많은 복을 받게 된단다. 너는 정결
한 성령의 전이 되며, 나의 영은 네 안에서 너를 통해
네가 구하거나 생각하는 모든 것에 더 넘치도록 행할
수 있다.

예수 그리스도는 어제나 오늘이나
영원토록 동일하시니라(히 13:8).

■■■■■

내 자녀야, 내 안에서 쉬며 세상 걱정은 잊어라. 나
에게, 임마누엘의 하나님께 중심을 맞추고 살아 있는
내 임재가 너를 평안으로 둘러싸도록 해주렴. 내가 주
는 영원한 안전에 집중해라. 나는 어제나 오늘이나 영
원토록 동일한 까닭이다. 항상 변화하는 현상에 초점
을 두고 겉도는 삶만 살아간다면 솔로몬 왕의 고백을
반복할 뿐이니 "헛되고 헛되며 헛되고 헛되니 모든 것
이 헛되도다."

나와 협력해 살면 네 인생에 의미가 깃든다. 매일을
오직 나와 함께 시작함으로 내 임재를 경험하렴. 나와
함께 시간을 보내는 동안 네 앞의 길은 하나씩 열린단
다. 묵상과 함께 하루를 열고, 나를 믿고 내 손을 잡으
렴. 내가 네 앞길을 평탄하게 하마.

이는 하나님이 거짓말을 하실 수 없는
이 두 가지 변하지 못할 사실로 말미암아
앞에 있는 소망을 얻으려고 피난처를 찾은 우리에게
큰 안위를 받게 하려 하심이라(히 6:18).

■ ■ ■ ■ ■

천국을 바라는 네 열망은 선하다. 그것은 나를 향한
갈망의 연장이기 때문이다. 천국의 소망은 너를 강하
게 하고, 격려하며, 놀라운 기쁨으로 너를 가득 채워
준단다. 이 소망이라는 단어를 오해하는 기독교인들
이 많은데, 그들은 바라는 생각이 소망이라고 믿지.
이는 진실이 아니란다.

내가 너의 구원자가 되면 곧바로 천국이 너의 최종
목적지가 된다. 천국의 소망이라는 구절에서 네가 이
땅에 거하는 동안에 누리는 혜택을 알 수 있다. 이 소
망은 고난의 어두운 시기를 지나는 동안 영적으로 살
아 있도록 해주고, 네가 가는 길을 밝혀 주며 내 임재
에 대한 인식을 강조해 준다. 성령의 능력으로 너에게
소망이 넘치기를 원한다.

주 여호와께서 학자들의 혀를 내게 주사
나로 곤고한 자를 말로 어떻게 도와줄 줄을 알게 하시고
아침마다 깨우치시되 나의 귀를 깨우치사
학자들같이 알아듣게 하시도다(사 50:4).

■ ■ ■ ■ ■ ■

나는 너의 내면 깊은 곳에서 말한다. 잠잠히 있어 내 음성을 들어라. 나는 사랑의 언어로 말하니, 내 말은 너를 생명과 평안, 기쁨과 소망으로 채운다. 나는 내 모든 자녀와 대화하기 원하지만 많은 이들이 바쁘다는 핑계를 댄다. 분주하게 일에 매달리면서 내게 거리감을 느끼는 이유를 궁금해하지.

내 곁에 살려면 나를 네 첫사랑으로, 제일의 우선 순위로 삼아야 한다. 내 임재를 가장 먼저 추구하면 평안과 기쁨을 전적으로 경험하지. 네가 나를 인생에서 제일 중요한 대상으로 삼을 때 나 또한 복을 받는다. 네가 내 임재 안에서 삶의 여정을 걷는 동안 나의 영광이 네 위에 나타나게 될 거란다.

심령이 가난한 자는 복이 있나니
천국이 그들의 것임이요(마 5:3).

■■■■■■

공허함을 안고 내게로 와서 내 안에서 완전해짐을
깨달아라. 내 임재 안에 조용히 쉬는 동안 네 안에 있
는 나의 빛이 점점 밝은 빛을 낸다. 네 안에 있는 공허
를 마주하는 일은 나의 충만함으로 채워지는 일의 시
작일 뿐이다. 그러니 너무 지치고, 네 부족함이 산처
럼 느껴질 때 기뻐해라. 어린아이 같은 마음으로 내게
의존할 수 있는 최고의 기회로 여겨라.

이처럼 나를 의존하면서 하루를 인내하면 그날 저녁
잠자리에 들어서는 기쁨과 평안이 네 친구가 되었음
을 발견할 것이다. 언제부터 네 여행에 이 기쁨과 평
안이 함께했는지 알아차리지 못할 수 있지만, 너를 찾
아온 혜택은 느낄 수 있지. 이런 하루를 완벽하게 마
무리하려면 내게 감사의 찬가를 올리면 된다. 바로 내
게서 모든 복이 흘러나온단다.

우리가 잠시 받는 환난의 경한 것이
지극히 크고 영원한 영광의 중한 것을
우리에게 이루게 함이니(고후 4:17).

■ ■ ■ ■ ■

쉽게 해결되지 않는 문제가 계속해서 괴롭힐 때는
그 문제를 훌륭한 기회로 여겨라. 지속적인 문제는 늘
곁을 지키는 가정교사와 같단다. 배움의 가능성은 배
우고자 하는 네 의지에 의해서만 한계가 정해지지.

믿음으로 문제에 대해 내게 감사해라. 이 어려움을
통해 이룰 수 있는 모든 가능성에 네 눈과 마음을 열
어 달라고 기도해라. 문제에 감사하는 마음을 가지면,
그 문제는 너를 낙담시키는 힘을 잃어버린다. 반대로
감사하는 태도가 너를 하늘의 장소로 들어오려 나와
함께 거하게끔 하지. 이 시선으로 보면, 네가 지금 잠
시 겪고 있는 가벼운 환난은 장차 네가 받게 될 영원
하고 한량없이 큰 영광을 가져다준다!

그런즉 너희는 먼저 그의 나라와 그의 의를 구하라
그리하면 이 모든 것을 너희에게 더하시리라(마 6:33).

■ ■ ■ ■ ■

인생의 소소한 문제들로 인해 낙담하지 마라. 그것
은 언젠가는 해야 할 일이지만, 특별한 순서는 필요
없는 사소한 일들이다. 작은 일들까지 모두 신경 쓰다
보면 이런 종류의 일에는 끝이 없음을 알게 될 거란
다. 처리해야 하는 일을 한 번에 다하려 들지 말고 대
신 하루에 한 가지씩 해야 할 일을 선택하렴. 나머지
일들은 마음에서 잊히도록 내버려 두면 내가 너의 의
식 전면에 나설 수 있다.

최종 목적은 나와 가까이 살면서 내 계획에 반응하
는 일이다. 나는 네 마음이 흐트러지지 않고 내게로
향할 때 순조롭게 너와 소통할 수 있단다. 오늘을 사
는 동안 계속해서 나를 바라보렴. 내 임재가 너의 생
각에 질서를 잡고, 전 존재 안에 평안을 넣어 주도록
하렴.

백성은 서서 구경하는데 관리들은 비웃어 이르되
저가 남을 구원하였으니 만일 하나님이 택하신 자
그리스도이면 자신도 구원할지어다(눅 23:35).

■■■■■

가장 초라한 모습으로 태어나면서 인류의 계층에 합
류했을 때, 내 영광은 아주 소수의 사람들만을 제외하
고 감추어졌다. 때로 영광의 빛줄기가 내게서 빛났는
데, 특별히 내가 기적을 행할 때 그랬지.

이 땅에서 생애를 마감할 즈음, 내 아버지의 계획이
허락하는 바보다 더 놀라운 능력을 보이라는 조롱과
유혹을 받았었다. 나는 언제라도 천사 군단을 불러내
나를 구원하도록 할 수 있었다. 뜻대로 자신을 해방시
킬 수 있는 순교자에게 요구되는 자기 통제력을 상상
해 보렴. 이 모든 일이 네가 지금 누리는 나와의 관계
를 주기 위해서 필요했다. 이 세상에 영광스러운 내
임재를 선포함으로 네 인생을 내게 바치는 찬양으로
드려라.

예수께서 이르시되 내 말이 네가 믿으면
하나님의 영광을 보리라 하지
아니하였느냐 하시니(요 11:40).

■ ■ ■ ■ ■ ■

너의 삶을 향한 내 계획이 네 앞에서 펼쳐지고 있다.
때로는 너의 여행길이 막힌 듯 보이거나 지독히도 천
천히 길이 열리는 바람에 뒤로 물러서야만 하는 때도
있단다. 그러다가 때가 차면 갑자기 눈앞이 확 열리는
데, 전혀 노력하지 않아도 그런 일이 생기지. 이는 모
두 내 시간표대로 너에게 주어지는 선물이란다.

약하다고 두려워하지 말아라. 너의 약함은 내 권능
과 영광이 가장 멋지게 일할 무대란다. 너를 위해 준
비한 길을 따라 걸으며 인내하고, 내 힘에 의지하면서
기적을 보길 기대하면 보게 될 거다. 육안으로 기적을
항상 볼 수는 없지만, 믿음으로 사는 이에게는 분명하
게 보인단다. 믿음으로 행하고, 보는 것으로 행하지
않으면 내 영광을 볼 수 있단다.

그들이 별을 보고 매우 크게 기뻐하고 기뻐하더라
집에 들어가 아기와 그의 어머니 마리아가
함께 있는 것을 보고 엎드려 아기께 경배하고
보배합을 열어 황금과 유향과 몰약을
예물로 드리니라 (마 2:10-11).

■ ■ ■ ■ ■

내게 와서 나의 임재 안에서 쉬어라. 성육신의 놀라
운 신비를 생각하며 나의 영원한 팔에서 쉬어라. 나는
성령에 의해 잉태된 유일한 위격이다. 이 신비는 너의
이해 능력을 넘어선단다. 지적으로 성육신을 이해하
려 하지 말고 동방박사들이 보여 준 선례를 통해 배우
렴. 그들은 빼어난 별의 인도를 따르다가 나를 발견했
을 때 겸손히 엎드려 경배했다.

찬양과 경배는 내 존재의 경이로움에 반응하는 최선
의 방법이다. 조용히 경배하면서 나를 바라보아라. 네
인생을 인도하는 별을 찾고 내가 인도하는 곳은 어디
든 기꺼이 따르라. 나는 위로부터 임하여 너의 발을
평강의 길로 인도하는 빛이란다.

오라 우리가 굽혀 경배하며
우리를 지으신 여호와 앞에 무릎을 꿇자
그는 우리의 하나님이시요
우리는 그가 기르시는 백성이며
그의 손이 돌보시는 양이기 때문이라(시 95:6-7).

■■■■■■

나는 만왕의 왕이며 만주의 주로 가까이 가지 못할 빛에 거한다. 나는 또한 너의 목자요, 동반자이며, 친구로 결코 네 손을 놓지 않는다. 거룩한 존엄을 지닌 나를 경배하며 내게 가까이 와서 평안한 쉼을 누려라.

너에게는 하나님인 나와 인자인 내가 모두 필요하다. 오래전 최초의 성탄절에 이루어진 나의 성육신만이 너의 필요를 채울 수 있다. 죄로부터 너를 구하기 위해 이처럼 극단적인 방법을 사용했기에, 너는 내가 모든 것을 너에게 준다는 사실을 확증할 수 있지. 구원자, 주, 그리고 친구로서 나에 대한 신뢰를 잘 양성해라. 너에게 주지 않을 것은 없다. 심지어 네 안에 살기로까지 정했으니 말이다! 너를 위해 내가 행한 모든 일을 기뻐하면 나의 빛이 너를 통해 세상으로 비추게 될 것이다.

산이 생기기 전,
땅과 세계도 주께서 조성하시기 전
곧 영원부터 영원까지
주는 하나님이시니이다(시 90:2).

■ ■ ■ ■ ■ ■

영원의 깊은 곳에서 너에게 말한다. 세상이 있기 전
에 내가 있었다. 너는 존재의 깊은 곳, 내가 거하는 곳
에서 내 음성을 듣는다. 나는 네 안에 있는 그리스도
니 영광의 소망이라. 너의 주이며 구원자인 내가 네
안에 산다. 잠잠한 가운데 나를 구함으로 살아 있는
내 임재에 주파수를 맞추는 법을 배워라.

내 탄생을 축하할 때 영원한 삶을 소유하며, 네가 다
시 태어난 사실도 축하하렴. 이 영원한 선물이 내가
죄로 얼룩진 세상에 태어난 유일한 목적이었다. 내가
주는 이 선물을 경외감과 겸손함으로 받아라. 네 마음
에서 자유롭게 흘러나오는 감사함으로 나의 영광스러
운 선물에 반응하렴. 나의 평강이 너의 마음을 주장하
게 하고, 너는 감사하는 자가 되라.

우리 주 예수 그리스도의 은혜를 너희가 알거니와
부요하신 이로서 너희를 위하여 가난하게 되심은
그의 가난함으로 말미암아 너희를
부요하게 하려 하심이라(고후 8:9).

■ ■ ■ ■ ■

잠잠히 묵상하는 가운데 나의 영광을 아는 빛이 너를 비춘다. 이 빛나는 지식은 모든 이해를 초월한단다. 네 구석구석을 변화시켜 생각을 새롭게 하고, 마음을 정결히 하며, 몸에 활력을 주지. 내 임재에 너 자신을 열어 영광스러운 내 존재에 경외감을 가져라. 아기의 모습으로 이 땅에 옴으로써 내 영광을 내려놓은 것은 인간과 같이 되기 위해서였다. 나는 더러운 마구간에서 어린아이로 눕혀지는 한계를 수용했다. 천사가 하늘을 밝히고 놀란 목자들에게 '영광'을 선포했을지라도 내게는 캄캄한 밤이었다.

네가 나와 함께 조용히 있을 때 내가 겪는 과정은 네 경험과 반대란다. 내가 가난하게 됨은 나의 가난함으로 말미암아 너를 부요하게 하려 함이다. 거룩한 내 이름에 할렐루야를 외쳐라.

하나님이 우리를 사랑하시는 사랑을
우리가 알고 믿었노니 하나님은 사랑이시라
사랑 안에 거하는 자는 하나님 안에 거하고
하나님도 그의 안에 거하시느니라(요일 4:16).

■ ■ ■ ■ ■ ■

나는 끊임없이 관대하게 아무런 조건도 없이 주어지
는 선물이다. 하늘과 땅의 어떤 것도 너를 향한 내 사
랑을 멈추게 할 수 없다. 너를 향한 내 사랑은 완벽하
기에 특정 변수로 인해 변하지 않는단다. 바뀌는 것은
너를 사랑하는 내 임재에 대한 너의 인식뿐이다.

잘못을 저지르면 내 사랑을 받을 가치가 없다고 느
끼곤 하지. 무의식적으로 나에게서 너를 끌고 가 멀리
밀쳐 내고는 우리 사이의 멀어진 거리가 내가 너를 기
뻐하지 않기 때문이라면서 탓할 수도 있다. 다시 돌아
와 내가 건네는 사랑을 받는 대신, 더 열심히 노력하
는 방법으로 내게서 인정을 얻어내려 하지. 이러는 동
안 내내 나는 내 영원한 팔 안에 너를 붙잡느라 고통
스럽다. 무가치하다고, 사랑받지 못한다고 느낄 때는
내게로 와라. 변함없는 내 사랑을 수용할 수 있게 해
달라고 기도하렴.

주 외에는 자기를 앙망하는 자를 위하여
이런 일을 행한 신을 옛부터 들은 자도 없고
귀로 들은 자도 없고 눈으로 본 자도
없었나이다(사 64:4).

■ ■ ■ ■ ■ ■

분주할수록 나와 함께 보내는 구분된 시간이 더 필
요하단다. 많은 사람들이 나와 함께 보내는 시간은 자
신들이 감당할 수 없는 사치라고 생각하지. 결과적으
로 스스로의 힘으로 살고 일하느라 결국 힘을 모두 소
진하고 만다. 그때가 되면 도움을 구하거나 아니면 상
한 마음으로 나를 떠나기도 하지.

나와 걸으며 모든 상황에서 나를 신뢰함이 훨씬 더
나은 선택이란다. 이렇게 살면 일은 덜 하면서 훨씬
더 많은 일을 이룰 수 있다. 서두르지 않는 너를 게으
르다고 평가하는 사람들이 있을 수도 있지만, 훨씬 더
많은 사람들이 네 평화로움으로 인해 복 받을 것이다.
네가 나와 함께 빛 가운데로 걸으면 너를 바라보는 이
세상에 나를 드러낼 거란다.

371

하나님은 우리의 피난처시요 힘이시니
환난 중에 만날 큰 도움이시라(시 46:1).

■ ■ ■ ■ ■

나는 네 피난처이며 힘이고, 어려울 때 언제나 너를
돕는 이다. 그러므로 어떤 것도 두려워하지 마라. 여
기에는 격변하는 환경도 포함된다. 미디어는 테러, 연
쇄살인, 천재지변 소식을 전하느라 바쁘다. 그런 위험
에 집중하면서 내가 범사에 피난처 됨을 잊는다면 점
점 두려움에 사로잡힌다. 매일 나의 은혜를 셀 수 없
이 많은 장소와 상황에 드러내는데도 미디어는 전혀
눈치채지 못하는구나. 나는 복을 쏟아부을 뿐 아니라
명백한 기적도 이 땅에 부어 준단다.

네가 나와 가까워지면 주변에 있는 내 임재를 더 많
이 보도록 너의 눈을 열어 준단다. 볼 수 있는 눈과 들
을 수 있는 귀를 가졌으니 변하지 않는 내 임재를 세
상에 선포해라.

너희는 여호와를 영원히 신뢰하라
주 여호와는 영원한 반석이심이로다(사 26:4).

■■■■■■

온 마음을 다해 나를 신뢰해라! 네가 나를 의지하는 정도에 따라 네 안에서 그리고 너를 통해 내가 이루는 일이 달라진단다. 역경이 닥칠 때도, 인생이 순탄할 때도 나를 믿고 의지하렴. 역경을 겪으면서 내게 의지했던 사람은 인생이 잘 풀릴 때는 나를 잊을 수도 있다. 사람들은 어려운 시기를 지나는 동안 내가 필요하다는 사실을 인식하는 반면, 인생 항해가 원만할 때는 자기 만족의 착각에 빠져 무감각해진다.

나는 네가 보여 주는 극적인 믿음의 도약뿐 아니라, 일상에서 내딛는 작은 신뢰의 걸음걸이에도 동일하게 관심이 있단다. 나를 일관되게 신뢰하는 일은 내 임재 안에서 번영하기 위해 반드시 필요하단다.

사랑하는 자들아
우리가 서로 사랑하자
사랑은 하나님께 속한 것이니
사랑하는 자마다 하나님으로부터 나서
하나님을 알고(요일 4:7).

■■■■■

나는 오직 너에게만 적합한 길로 너를 인도한다. 너는 내게 가까워질수록 더 진정한 모습이 되어 내가 계획한 모습을 이루어 간다. 너는 유일한 존재이기 때문에 네가 나와 함께 여행하는 길은 점점 다른 사람들이 걷는 길에서 갈라져 나오지. 하지만 나는 신비로운 내 지혜와 방법으로 다른 사람들과 긴밀히 교제하면서 이 고독한 길을 따를 수 있는 능력을 너에게 준다. 내게 더 완전하게 헌신할수록 더 자유롭게 다른 사람들을 사랑할 수 있다.

내 임재로 뒤얽힌 삶은 참으로 아름답단다. 나와 친밀하게 교제하면서 우리가 함께 여행하는 동안 즐거움을 누려라. 내 안에서 너를 상실함으로 진실한 너를 발견하는 모험에 뛰어들어라.

평안을 너희에게 끼치노니
곧 나의 평안을 너희에게 주노라
내가 너희에게 주는 것은
세상이 주는 것과 같지 아니하니라
너희는 마음에 근심하지도 말고
두려워하지도 말라(요 14:27).

■ ■ ■ ■ ■

올해가 저물어 가는 동안 내 평안을 받아라. 이는 여전히 가장 깊은 곳에 있는 너의 필요다. 평강의 왕인 나는 네 필요 안에 나를 부어 주기를 갈망한다. 나의 풍요로움과 네 공허는 완벽한 짝을 이룬단다. 너는 혼자서는 만족할 수 없도록 지음 받았지. 나는 너를 토기로 빚어 거룩한 쓰임을 위해 구분해 두었다. 네가 다름 아닌 내 존재로 채워지며, 평안이 너에게 스며들길 원한다.

내가 주는 평안의 임재를 감사하되, 감정과 무관하게 그렇게 해라. 애정을 담아 내 이름을 속삭이렴. 나의 평안이 언제나 네 영 안에 거하며, 점차 너의 전 존재를 채울 거란다.

사명선언문

너희가 흠이 없고 순전하여……세상에서 그들 가운데 빛들로
나타내며 생명의 말씀을 밝혀 _ 빌 2:15-16

1. 생명을 담겠습니다
만드는 책에 주님 주신 생명을 담겠습니다.
그 책으로 복음을 선포하겠습니다.

2. 말씀을 밝히겠습니다
생명의 근본은 말씀입니다.
말씀을 밝혀 성도와 교회의 성장을 돕겠습니다.

3. 빛이 되겠습니다
시대와 영혼의 어두움을 밝혀 주님 앞으로 이끄는
빛이 되는 책을 만들겠습니다.

4. 순전히 행하겠습니다
책을 만들고 전하는 일과 경영하는 일에 부끄러움이 없는
정직함으로 행하겠습니다.

5. 끝까지 전파하겠습니다
모든 사람에게, 땅 끝까지, 주님 오시는 그날까지
복음을 전하는 사명을 다하겠습니다.

서점 안내

광화문점 종로구 신문로1가 58-1 구세군 회관 2층(110-061)
Tel 02)737-2288 | Fax 02)737-4623

강 남 점 서초구 잠원동 75-19 반포쇼핑타운 3동 2층 전관(137-909)
Tel 02) 595-1211 | Fax 02) 595-3549

구 로 점 구로구 구로 3동 1123-1 3층(152-880)
Tel 02) 858-8744 | Fax 02) 838-0653

노 원 점 노원구 상계동 749-4 삼봉빌딩 지하1층(139-200)
Tel 02) 938-7979 | Fax 02) 3391-6169

분 당 점 경기도 성남시 분당구 서현동 273-1 대현빌딩 3층(463-824)
Tel 031) 707-5566 | Fax 031) 707-4999

신 촌 점 마포구 노고산동 107-1 동인빌딩 8층(121-806)
Tel 02) 702-1411 | Fax 02) 702-1131

일 산 점 경기도 고양시 일산구 주엽동 83번지 레이크타운 지하 1층(411-370)
Tel 031) 916-8787 | Fax 031) 916-8788

의정부점 경기도 의정부시 금오동 470-4 성산타워 3층(484-010)
Tel 031) 845-0600 | Fax 031) 852-6930

인터넷서점 www.lifebook.co.kr